はじめての
鉢バラ
育て方の基本がわかる本

後藤みどり 著

鉢でバラを
美しく咲かせる
ポイント

mates-publishing

はじめに

鉢バラを通じて
バラのある暮らしを楽しむ

　バラは昔から多くの人々に愛されている植物です。優雅で気品のある花姿や趣きのある樹形、芳しい香りが人々を引きつける力を持っているからでしょう。

　「こまめな手入れが必要で、育てるのが難しそう」バラはこうしたイメージをよくもたれます。しかし、バラ栽培は計画を立て、その通りに進めるものではなく、必要なときに必要なことを施せばよいのです。もともと丈夫で強い性質の植物なので、適切に手をかけていればすぐに弱ることはありません。

　これからバラ栽培をはじめてみようという人は、まずミニバラ（ミニチュアローズ）からを育ててみるのはいかがですか。ボリュームが小さいので扱いやすく、次々と花が咲くので嬉しくなって自然と手をかけたくなっていくでしょう。

　本書では、手軽にはじめられる鉢バラの育て方やアレンジを紹介していきます。鉢植えであれば小スペースに置くこともでき、場所の移動もスムーズにできます。一つの鉢でコツをつかんだら、二つ目三つ目と違う品種で鉢を増やしてみるのもよいでしょう。

　また、鉢植えの他の植物とあわせる寄せ植えという楽しみ方もできます。本書のアレンジ例を参考に、オリジナルの寄せ植えにチャレンジしてみると、さらにバラの世界を楽しむことができます。

　バラを暮らしのなかに取り入れて、素敵なライフスタイルに変えていきましょう。

はじめに……………………………………………………………………… 2

プロローグ 鉢バラの魅力
生活空間をバラで彩る ……………………………… 7

PART I
ミニバラから栽培をはじめよう ………………… 17

ポイント01	バラ栽培のファーストステップはミニバラではじめよう … 18
ポイント02	茎や葉の状態をよく見て健康で丈夫な苗を選ぼう ……… 20
ポイント03	必要な材料や道具を揃えて準備をする ………………… 22
ポイント04	ミニバラを鉢へ入れ替える ……………………………… 26
COLUMN	ミニバラ（ミニチュアローズ）の歴史 ………………… 34

※本書は 2016 年発行の『美しく咲かせる鉢バラ育て方のポイント』を元に、内容を確認し加筆修正・再編集を行い、書名・装丁を変更して発行しています。

PART 2
バラの選び方と基本の植えつけ・誘引 …35

ポイント 05	バラ苗の種類を確認して購入の目安を決めよう	36
ポイント 06	樹形や咲き方の違いを知り好みの品種を見つけよう	38
ポイント 07	品種により多種多様な花の形や花びらの特徴を知る	40
ポイント 08	購入した新苗は優しく取り扱いポットから丁寧にはずす	42
ポイント 09	苗を鉢に植えていき生長に最適な環境をつくる	44
ポイント 10	つる性のバラを上手に仕立てる	46

PART 3
鉢でバラが元気に育つお手入れを知る ……51

ポイント 11	必要に応じたお手入れで生長に適切な環境をつくる	52
ポイント 12	バラのライフサイクルを知り適切なケアをする	54
ポイント 13	花が咲き終わった後は花がら切りをする	56
ポイント 14	花全体のバランスを見ながらシュートの処理をする	58
ポイント 15	適切な剪定をして開花の準備をする	60
ポイント 16	春の開花に向けて余分な芽を取り除く	65
ポイント 17	良い枝を見極めて残し不要な枝を間引く	66
ポイント 18	つぼみがつかずに生長が止まった枝を切る	68
ポイント 19	適切なタイミングと量を確認して肥料を与える	70
ポイント 20	植え替えをして新たに生長するスペースをつくる	72
ポイント 21	病気や害虫による被害の予防と対策をして外敵から守る	80

PART 4
バラの品種や特性とおすすめの品種 ……83

ポイント22　品種のアウトラインを知りバラの特性を理解しよう …… 84

PART 5
寄せ植えでバラをアレンジする ………95

ポイント23　一つの鉢で複数の植物を楽しむ ………… 96
ポイント24　２種類のミニバラを一つの鉢に植えて楽しむ ………… 98
ポイント25　高さのあるバラでボリューム感を出す ………… 103
ポイント26　水ゴケを使ってバスケットに植える ………… 106
ポイント27　麻布を使ってバスケットに植える ………… 110
ポイント28　広口の器を使って彩りを楽しむ寄せ植え ………… 114

エピローグ　バラからのメッセージ
バラからのメッセージを感じて もっと豊かなライフスタイルに!! ………117

索引 …………………………………………… 125

プロローグ 鉢バラの魅力
生活空間をバラで彩る

　身近な場所にバラを飾ると、季節の移り変わりや植物の生命力を楽しむことができ、暮らしに潤いと豊さを感じることができます。
　本章ではライフスタイルに合わせた様々なバラの取り入れ方を紹介していきます。
　大切に育てていけば、愛らしいバラの世界がさらに広がり、豊かな暮らしのエッセンスになることでしょう。

家の中にバラを飾って、快適な暮らしを演出する

　シンプルだった部屋に鉢バラを置いてみると、その場の空気が変わったように感じます。色や香りが放たれ、花の持つ生命力が周囲へ伝わっていくのかもしれません。

　机の上に置いたり、窓辺にそっと飾ったりするだけで良いでしょう。

　鉢植えであれば移動がラクなので、その日の気分で場所を変えることもできます。

　バラのある暮らしは、心地よい毎日に導いてくれるでしょう。

鉢バラの魅力

複数の鉢を育てて、バラの個性を楽しむ

　「赤、黄色、白、今日は何色の花が咲いたかな？」花が咲く喜びは、暮らしに潤いを与えてくれます。

　小さなミニバラなら手軽に複数の鉢を育てることができるので、それぞれの色味や表情の違いを楽しむことができるでしょう。

　可愛らしいフラワースタンドに置けば、インテリアの効果もアップします。窓際で充分な陽の光と心地良い風を与えれば、室内に置いて飾ることができます。

寄せ植えのアレンジで
バラ栽培がもっと面白くなる

　一つの鉢で複数の植物を育てる寄せ植えは、切り花でつくるブーケとはひと味違ったアレンジの楽しさがあります。

　ミニバラは中輪や大輪のバラより、丈の大きさなどが他の草花とバランスが良いので寄せ植えに向いています。季節の花やリーフプランツなど組み合わせを考え、主役のバラが引き立つように演出してみましょう。自分でつくったオリジナルの寄せ植えは、育てながらデザインを鑑賞する面白さを味わえます。

（→寄せ植えは 96 ページ参照）

家の顔ともいえる玄関周辺にバラを飾る

　生活スタイルを表す玄関まわりにバラを飾り、ワンランクアップの空間をつくりましょう。

　出かけるときは元気に育つ花や葉の姿を感じることで、素敵な一日をスタートすることができます。帰宅の際は優しく包む香りが迎えてくれるので、疲れた心と体も安らぎます。まるでオンとオフを切り替えスイッチのような存在です。ゲストが訪れたときは、バラの華やかな装いが歓迎の気持ちを表してくれるでしょう。

鉢バラの魅力

鉢植えだから、小スペースでも置き場所は大丈夫

　ベランダにちょっとしたスペースを見つけたら、鉢バラを置いてみましょう。戸外なので、大好きな太陽の光や吹き抜ける風をバラが直接浴びることができます。手すり壁があっても、収納棚やフラワースタンドの上に置くことで、日光や風通しをキープ。

　鉢植えだから、季節や気候に合わせて置く場所を変えるのも簡単です。殺風景になりがちなベランダも、バラのスペースがあることでゆとり空間がうまれます。

※ミニつるバラ夢乙女

器を含めて、トータルコーディネートをする

器をひと工夫すると、また違った表情のバラが楽しめます。素焼きのポットやハンギングのカゴ、ホーローなど様々な入れ物で試してみましょう。

バラの色味や形にあわせたり、置く場所の雰囲気を考えたりして器を選んでみます。植物と器でトータルにコーディネートされるので、一つの作品として仕上がります。バラをワンランク上の素敵なオブジェに早変わりさせてみましょう。

鉢バラの魅力

鉢バラでガーデニングの景観バランスを整える

　庭でバラを育てる場合、どこが最適な置き場所か迷うことがあります。より良く育つためには、他の植物とのバランスや気候の変化、日照などバラが最も好む環境を見極めることです。

　地植えの場合、環境が適さず移動したくなっても、すぐにかえることができません。

　しかし鉢バラであれば、庭の景観を崩すことなくスムーズに置きかえることができます。スペースが小さな庭であれば、小ぶりの鉢を置くことでミニ庭園をつくることができるでしょう。

オリジナルのマイローズガーデンをつくる

　バラは多くの品種があり、色味や樹形、花びらの形などそれぞれが異なる表情を見せてくれます。一つの鉢バラからスタートして、コツをつかんだら違う品種に挑戦してみるのもよいでしょう。次々と増えていけば、自然に自分でつくりあげたローズガーデンができあがります。そこは蕾を見つけたときや花が咲いたときの喜び、葉の瑞々しさや枝ぶりの美しさなど、小さな感動が生み出される場所。

　成長の様子に日々目を向けて、丈夫で元気なバラを育てましょう。

鉢バラの魅力

実をつけた姿はバラの魅力を さらにアップさせる

　主に原種系や一重咲きの品種には、小さくて丸い実をつけるものがあります。赤やオレンジなどあり、その可愛らしい姿はバラの魅力をさらに引き立てます。
　品種選びでは、実をつけるものを条件とし探してみるのもよいでしょう。ローズヒップと呼ばれるバラの実は、鑑賞だけでなくローズティーなど実用的にも使われます。実をつけたバラは、バリエーションある楽しみを教えてくれます。

PART I
ミニバラから栽培をはじめよう

　はじめての鉢でバラを育てるときに、おすすめなのがミニバラです。数万種あるといわれる品種の中で四季咲きのミニチュアローズは、扱いやすいうえ長期間、花を楽しめるため、気軽にバラ栽培をスタートできます。ここでは育て方のポイントを紹介します。

ポイント01 ミニバラを鉢で育てる

バラ栽培のファーストステップはミニバラではじめよう

バラは難しそうと、栽培をためらっていませんか？バラの品種はとても多彩です。まずは、鉢植えで育てられるコンパクトなミニバラから気軽にはじめてみましょう。

　バラは驚くほどバラエティに富んでいます。花の色や形はもちろん、樹形や株の大きさもさまざまあるなかで、小型な株に小輪の花を多数咲かせる品種がミニバラ（ミニチュアローズ）と呼ばれます。

　ミニバラの魅力は、見た目の愛らしさはもちろんのこと、庭植えで大きく育てる中輪や大輪のバラに比べて格段に扱いやすく、育てやすいこと。春から初冬まで次々と咲くので楽しんで育てることができて、はじめてのバラ栽培におすすめです。部屋に飾るなら、一日おきに戸外へ出して日光と風にあてましょう。日当りがよく、通気できる窓辺では3〜4日楽しめます。

PART 1

ミニバラの栽培

1
かわいい小輪花は花径2〜5㎝が主流

　バラの花の大きさは開花ピーク時の直径により、巨大輪13㎝以上、大輪13〜8㎝、中輪8〜5㎝、小輪5〜3㎝、極小輪3㎝以下に大別されます。ミニバラは花色、花形も豊富。新品種も続々誕生しています。

2
小さな鉢植えだから身近に楽しめます

　樹高20㎝足らずの極小品種から、80㎝程度までなる大型の品種もあり、いずれも株はコンパクトで鉢植えに適します。場所をとらず移動も楽なので、室内でひとときのインテリアとしても気軽に楽しめます。

ワンポイントアドバイス

まさに四季咲き性
次々花が咲き続ける

　ミニバラは大輪や中輪のバラよりも組織が小さく、開花の周期が短いために次々と花を咲かせます。春の芽吹きも大輪に先んじるものが多いので、テラスや玄関先など常に彩りたい場所にもおすすめです。
（→四季咲きについてはP 39参照）

ポイント02 苗の選び方（接ぎ木／挿し木）

茎や葉の状態をよく見て
健康で丈夫な苗を選ぼう

ミニバラは花つき苗が一年中流通しています。接ぎ木苗と挿し木苗の2種類あるので、それぞれの特徴とよい苗のチェックポイントを確認しておきましょう。

写真左は、接ぎ木苗。写真右は、挿し木苗。株元を見ると違いは一目瞭然。枝の太さや葉の大きさは品種によって違いがある。

　接ぎ木苗は、ノイバラなど丈夫なバラを台木にし、増やしたい品種のバラの枝（挿し穂）を台木に接合させた苗です。挿し木苗は、増やしたい園芸品種の株から枝（挿し穂）を切り取り、土に挿して発根させた苗です。挿し木苗よりも接ぎ木苗の方が根が丈夫なので、バラは接ぎ木苗が一般的ですが、ミニバラは挿し木苗が主流です。どちらのタイプの苗も、まず枝葉に勢いがあるか、虫食いや病気のあとがないかをチェック。花に惑わされずに、枝葉をよく見て選ぶことが大事です。これは、ミニバラだけでなくバラ全般に共通します。

PART 1

① 挿し木苗は株元と葉の数を要チェック

主に2.5号から4号のポットで流通。地際から葉が茂って蒸れやすいため根元の茎をよく見て、白っぽい、黒っぽいなどの異常がないかカビの発生の有無を確認。黄変した葉が付いているものはさけましょう。元気な葉が多数茂る苗を選びます。

同一品種では茎が太いものを選ぶ。

ミニバラの栽培

② 接ぎ木苗は先端と接ぎ木部を見て判断

接ぎ木苗の多くは4号ポットで出回ります。流通量はわずかなので専門店で入手を。上部の枝葉がピンとしているか、接ぎ木部が折れていないか、地際に茶色い塊（根頭がん腫病）がないかチェックしましょう。

ワンポイントアドバイス

ラベル付きの苗の入手がおすすめ バラの名前は栽培の情報源

バラの購入時はまず、ラベルのあるなしを確認しましょう。ラベルには品種名とともに、樹形、四季咲きか否かなど、その品種についてのおおまかな情報が記載されています。バラは品種名がわかれば特徴や性質をくわしく調べることができるので、名前だけでも分かれば栽培に役立ちます。接ぎ木苗にはたいていラベルがついています。一方、挿し木苗にはラベルがない場合も多くあり、残念なことに名無しの花がたくさん流通しています。

バラ用語 | **接ぎ木部**
根のついた台木（ノイバラ）に、増やしたいバラの枝を接合した部分。

ポイント03 鉢バラ栽培の基本の材料と道具

必要な材料や道具を揃えて準備をする

バラを育てるには、どんな作業もタイミングが大事です。バラの生育にあわせていつでも作業できるように、必要な材料や道具はあらかじめ揃えておきましょう。

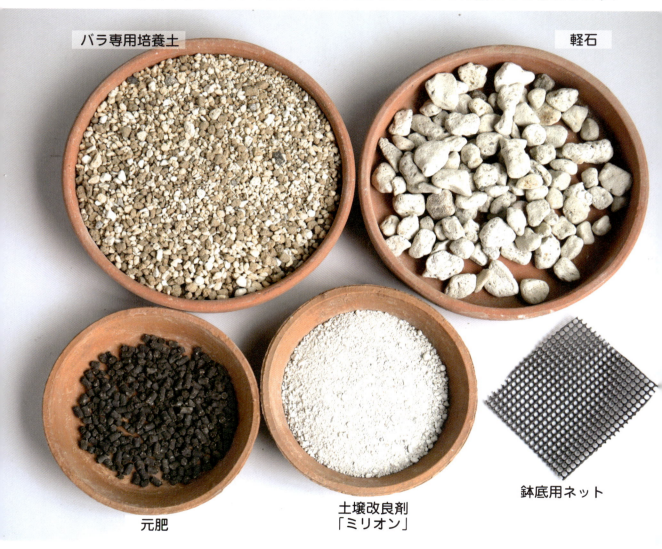

バラ専用培養土 / 軽石 / 元肥 / 土壌改良剤「ミリオン」 / 鉢底用ネット

　必要な材料と道具、苗を植えるための土と肥料、鉢です。数株のバラの鉢栽培では、土は品質のよい市販の培養土を使用するのが手軽で無駄がなくおすすめです。肥料はバラ専用肥料を使いましょう。植えつけ時に土に混ぜて使う元肥と、生育中に鉢の表土にのせて使う追肥の2種類を用意します。鉢はライフスタイルに合う素材を選び、適切なサイズのものを使うことがポイントです。道具類は使い勝手のよさと耐久性、デザインにも注目して長く愛用できるものを選ぶと、バラ栽培の楽しさも増していきます。

PART 1

ミニバラの栽培

1 機能性と美しさを備えた定番の植木鉢

　素焼き鉢は、適度に乾きやすくてバラ栽培に最適です。プラスチック鉢は軽量で保水性に優れ、こまめに水やりができない方におすすめ。光沢のある塗り鉢は株をドレスアップしてくれます。

素焼鉢　光沢鉢　プラスチック鉢

2 遊び心ある色鉢はミニバラで楽しもう

　素材の質感や色合いに個性のある鉢は、小さなサイズならアクセントになって楽しいものです。樹脂に天然石を配合したアートストーンや、厚みのある塗りの小鉢など、インテリアとしてもすてきです。

ワンポイントアドバイス

小さすぎても、大きすぎても×
鉢のサイズが根の生長を左右する

　鉢のサイズは口径を示し、号数で表します。1号は3cm。5号鉢といえば口径15cmの鉢です。一般の鉢は口径と高さがほぼ等しく、深鉢は口径よりも高さが勝り、浅鉢は口径に対して高さが半分ほどです。購入したバラ苗の植えつけには、ミニバラなら5〜6号鉢で充分です。その他の場合新苗は6号鉢、鉢苗は2サイズ大きな鉢、大苗は7〜8号の深鉢が好適。根は鉢土の乾湿の差によって伸長します。大き過ぎる鉢は土が乾きにくいため根腐れを起こしやすく、小さいと根詰まりを起こしてしまいます。

バラ用語　培養土
栽培に必要な成分が配合された用土。基本用土の赤玉土や腐葉土などが含まれている。

23

鉢バラ栽培の基本の材料と道具

ポッティングトレイ、スコップ、棒
どこでも作業スペースを確保できる優れもの。土が散乱しないから植え替えの後片付けもらく。幅55cm、奥行き50cm、高さ5cm〜16cm

ガーデングローブ
右／肘までカバーしてバラのトゲから手を守る人工皮革のロングタイプ。
左／片面がゴム加工された花柄の布製は軽作業向き。

剪定ばさみ
最も使用頻度が高いだけに、自分の手に合うサイズで、切れ味がよく耐久性に優れたものを。赤いグリップは紛失防止に役立ちます。

はさみフォルダー
剪定ばさみを安全に携帯できる軽量で出し入れがスムースな革製。
右／ベルト掛けタイプ。
左／肩掛けもできる2wayタイプ。

PART 1

ミニバラの栽培

麻ひも、ソフトタイ

枝の誘引や支柱を立てるときの必需品。グリーン系が目立たなくておすすめ。ソフトタイはラバーコーティングされたワイヤーで太枝向き。

剪定のこぎり

太枝切り用に1本持っていると便利。刃長20cm程度あるので収納ケースつきのものが安全。カラフルカラーが女性に人気です。

ネームプレート、ローズフック

ネームプレートはバラの名札。土にさすタイプと枝に吊るすタイプ。
ローズフックは枝と支柱にフックの先を引っ掛けるだけで誘引できる便利グッズ。

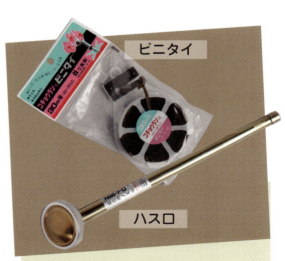

ビニタイ、ハス口

ねじるだけで結束できるビニタイは細枝の誘引に必須。
ハス口はじょうろの先につけてシャワー状にするもの。大きくて穴が細いほどソフトなシャワーに。

ポイント04 植えつけ

ミニバラを鉢へ入れ替える

挿し木苗は、乾きやすい土で小さな鉢に植えられているため、春～夏に入手した場合はただちに鉢増ししましょう。生育期なので根鉢を崩さないように注意して行います。

　挿し木苗は生長が遅く、小さな鉢で流通しているミニバラは多くの場合、根ではなく枝のちからで花を咲かせています。購入時のまま花が終わるまで楽しんでしまっては、挿し木苗のミニバラは育ちません。
　またポットの土はほとんどがピートモスです。ピートモスは乾燥しやすい用土で、一度からからに乾かしてしまうと水を吸わなくなります。根鉢の乾燥を防ぎ、根の生長を促すために1～2まわり大きな鉢へ新しい培養土で植え替えましょう。
　生育期の植え替えは根鉢を崩さないことがポイント。本格的な植え替えは、もう少し大きくなってからにしましょう。

鉢と土の用意をする

ミニバラの栽培

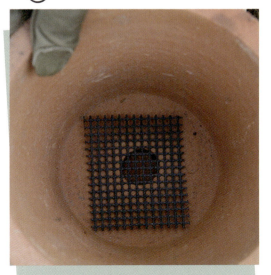

1 鉢底用ネットで鉢底の穴を覆います。ナメクジなど虫の侵入防止と土の流出を防ぐためです。

2 鉢底に軽石の大粒を敷きます。水はけをよくするためですが、軽石の回りには根が伸びないので底穴が大きければ不要です。

3 用意した培養土に元肥を加えます。分量は必ず規定に従うこと。多過ぎると根を傷めてしまいます。

4 元肥をまんべんなく培養土に混ぜます。

バラ用語 | **鉢増し**
植物が生長し根が張り鉢が小さくなったときに根鉢を崩さずに、1まわりか2まわり大きい鉢に移し替えること。

植えつけ

ポットから苗を出す

⑤ ミリオンを土の一割ほど加えてよく混ぜます。根腐れ防止、発根促進などの効果があります。

⑥ 苗をポットから抜くには、ポットの底をしっかり持ち、苗の根元に手を添えて横に倒します。

⑦ そのまま下向きに傾けて、ポットを外します。苗を引き抜くのではなく、ポットを抜き取る要領で。

⑧ 根鉢を崩さないように注意しながら苗を取り出します。1ポットに4本くらい挿し木されています。

PART I

ミニバラの栽培

9 挿し木苗でも4号ならかなり根が張っています。ポットの土はピートモス主体。白い粒はパーライト。

10 根の状態を確認。黒くなった根は死んでいます。働いている白い根を傷めないように注意を。

CHECK!

11 新しい根が伸びやすいように、棒を使ってほじる要領で根鉢の底をほぐします。側面は白い根がまわっているのでいじらないこと。

12 用意した鉢に苗を入れてみます。スポッと入れば、現状の苗にとってちょうどよい大きさです。

バラ用語 | 根鉢
鉢から根を抜いたとき、根と土がかたまりとなった状態。

植えつけ

液体肥料に浸す

⑬ バケツに水を用意し、活力剤を加えます。希釈率は規定に従うこと。活力剤はミネラル分を補い、根の活着をよくします。

⑭ 根鉢をしっかり手に持ち、活力剤入りの水に沈めていきます。

⑮ 苗の根元まで水に浸します。30分くらい浸けておきます。

⑯ 元肥とミリオンを混ぜた培養土を鉢の深さの1／4くらいまで入れます。

鉢に苗を入れる

⑰ 苗をバケツから取り出して鉢に入れます。このとき、株姿を見て中心を決めます。

⑱ 根鉢のまわりから少しずつ土を入れていきます。

CHECK!

⑲ 土を入れたら棒で軽くつつきます。こうすると、すき間へ土が落ちていきます。

⑳ 土を足すたびに棒でつつくことをていねいに繰り返します。

ミニバラの栽培

植えつけ

土の表面を整えて仕上げる

㉑ 鉢の縁から2cm程度ウォータースペースを残して土を入れ終えたら、表面の土を押えて落ち着かせます。

㉒ ジョウロのハス口を根元へ向けて、勢いよくたっぷり水をやります。開花時は花に水をかけず葉を洗うようにかけることを週に1～2回行いましょう。

㉓ ウォータースペースに水をためて、土にしみ込むのを待ちます。

㉔ 水の表面に泡が出るのは、鉢の中に空気があるということ。すなわち、水が鉢全体にまだ行き渡っていない状態。

PART 1

ミニバラの栽培

㉕ 水やりは3回くらい繰り返しましょう。鉢内に水が行き渡ると表面に泡は出なくなります。

㉖ 使用したのは5号鉢。これからよく目をかけて育てれば樹高20〜30cm程度に育ち、株分けも可能です。鉢皿には水をためないように飾る時は捨てましょう。

ワンポイントアドバイス

ウォータースペースがあれば鉢の中の状態がわかる

　ウォータースペースは、水やりの際に徐々に水を土にしみ込ませるための貯水スペースです。鉢の縁まで土を入れてしまうと水の溜まる場所がなくなって、しみ込むより先に水はあふれ、十分な水やりができません。また、ウォータースペースに水がいつまでも溜まっていたら、根詰まりか用土が古くなって固まっていることが疑われます。植え替え時期のサインとなるので、日頃から水のしみ込み方を鉢ごとに観察しておきましょう。

バラ用語 | 株分け　植物を増やす方法で、根ごと切り分けて分割しそれぞれを鉢に植えて育てる。

COLUMN

ミニバラ(ミニチュアローズ)の歴史

　本章で紹介したミニバラの歴史をたどると、中国のコウシンバラ(ロサ・キネンシス)にいきつきます。

　コウシンバラは江戸時代の書物にも記されるほど、古くから存在していたバラです。四季咲き性の低木で、60日ごとに訪れる庚申(こうしん)の日に花を咲かせることから、庚申薔薇と名付けられたといわれています。

　このコウシンバラは19世紀初めに中国からヨーロッパへ紹介され、ロサ・キネンシス・ミニマの子孫ルーレッティとポリアンサ(P84)をかけあわせたものが現在多くでまわっているミニバラのルーツといわれています。その後、品種改良が数多くなされ、多くのミニバラが誕生し、様々な色や花の形を楽しめるようになってきました。

　日本でのミニバラの栽培は、ヨーロッパへ紹介される前の江戸時代に、ナナコバラというミニバラが栽培されていた記録があります。ピンクで一重の花姿は、桜のようでもあり、小輪の可愛らしさが魅力です。ミニバラは日本人にとって、昔から親しまれていた花ということがうかがえます。

ロサ・キネンシス・ミニマ

PART 2
バラの選び方と基本の植えつけ・誘引

　バラを鉢で育てるときに知っておきたいバラの知識、特にバラの樹形や咲き方、花の形の違いは、育てたい品種を選ぶときにポイントとなることです。育て始める時期やスペースなどにあわせて品種を選びましょう。

　また苗の種類の違い、それぞれの植えつけの仕方や、つる性のバラに欠かせない誘引の方法、失敗しないポイントを紹介しています。鉢バラ育ての基本としてマスターしましょう。

ポイント 05　苗の種類

バラ苗の種類を確認して購入の目安を決めよう

バラ苗は成長の段階によって、種類に分けられて販売されています。
それぞれの特徴を踏まえて検討し、自分に合ったバラ苗を購入しましょう。

新苗　　　　　　　　　　　　　　　ロング苗

新苗について

　秋から冬頃に接ぎ木をして育て、翌年の春頃（3月下旬〜6月）に販売される1年目の新しい苗です。安価ですが、株を丈夫にした翌年以降のほうが充実した開花が期待できます。枝が太くて葉が大きく、病害虫の見られないものや、節が詰まって間延びしていないものを選びましょう。

ロング苗について

　つる性や半つる性の苗で、長尺苗ともいわれます。1m以上伸びていて通年入手でき、価格はバラ苗のなかでも高くなります。購入してすぐにトレリスやアーチへ誘引して楽しむことができます。ある程度育っているので、冬に植えれば春には花をつけます。葉や枝のしっかりしたものを選びましょう。

PART ②

選び方と植えつけ

Ⅰ

鉢苗について

　大苗などある程度育って株がしっかりし、鉢に入っている苗です。通年流通し価格は高いですが、開花時期は花の色や形など自分の好みにあったものを選ぶことができます。枝や葉がしっかりしていて、鉢のなかに雑草が生えていないもの、休眠期であれば枝にシワのないものを選びましょう。

大苗について

　秋から冬に接ぎ木された苗を翌春に畑で育てた後、秋から冬（10月〜3月）に販売される2年目の苗です。新苗よりも株は丈夫で、多くは枝葉が切られた状態で店頭に並びます。枝が硬くて丈夫なものを選びましょう。

鉢苗

ワンポイントアドバイス

バラの性質"頂芽優勢"を理解して上手に育てよう

　バラは、上へと伸びる頂芽優勢の性質があります。頂芽は枝の一番上にある芽で、最優先に栄養が送られます。下の芽（側芽）にはあまり栄養が届かず、生長が遅い休んだ状態になります。手を加えないと上にだけ花をつけた形になりますが、剪定して複数の枝を同じ高さに切ると、各枝に頂芽ができて横に広く花をつけた形になります。

ポイント06 樹形や咲き方

樹形や咲き方の違いを知り
好みの品種を見つけよう

バラには木立性やつる性、半つる性という3種類の樹形があり、
咲き方には房咲きや一輪咲きなどがあります。品種選びの目安にしましょう。

木立性(きだちせい)

つる性

木立性について

　枝が株元から自立してまっすぐに伸び、ブッシュともいわれます。株元から枝が横へ幅を出すように上へ伸びる横張り型や、直立に伸びる直立型があります。ほとんどが四季咲きタイプなので、春から秋にかけて花を楽しめます。剪定で大きさを調整しやすいという特性があります。

つる性・半つる性について

　つる性の枝は支えを必要としながら伸び、ランブラーやクライミングともいわれます。しなやかな枝は誘引してアーチ状など好きな形状にでき、一季咲きや返り咲きになります。木立性とつる性の中間の半つる性(シュラブ)は、四季咲きや一季咲き、返り咲きがあります。自立性とつる性の両方を楽しめます。

1 房咲き（スプレー咲き）

　一本の枝に複数の花をつける咲き方で、咲いたときには華やかさがあります。房の真ん中のものから順番に咲いていき、ブーケのようなスタイルを楽しめます。ひとつの房で咲き終わったものがあればすぐに花がらを切ると、残りの花がキレイに咲きます。全て咲き終わったら、房ごと切ります。

2 一輪咲き

　一本の枝にひとつの蕾をつける咲き方です。すっと伸びた枝から一つだけ咲くので、花そのものの魅力が際立ちます。開花後は枝の真ん中を目安に元気な葉の上あたりで切り、新芽に栄養を送りましょう。大輪の一輪咲きでは、ハイブリッドティーに属する系統の品種が有名です。
（系統についてはP84参照）

選び方と植えつけ

ワンポイントアドバイス

どの季節に咲く品種なのか種類ごとの特性をチェックしよう

　バラは種類ごとに咲く時期があります。四季咲きは春から秋にかけて何度も続けて咲きます。一季咲きは、春にだけ一回咲き秋に実をつけるものもあります。返り咲きは春に良く咲き、初夏から秋にかけては春よりも控えめに数回不定期に咲きます。いずれの種類も冬は休眠期に入り、葉を落として翌春の開花に向けて栄養を蓄えます。

	春	夏	秋	冬
四季咲き	開花～	開花～	開花	---休眠
返り咲き	開花～	開花～	開花	---休眠
	※春の開花よりも勢いは弱いが秋まで数回咲く			
一季咲き	開花	---------	結実	---休眠
			※品種による	

ポイント07 花の形・花びらの種類

品種により多種多様な花の形や花びらの特徴を知る

高芯やロゼットという花の形、丸弁や剣弁といった花びらの形
多種多様なバラの顔の魅力を探っていきましょう。

高芯咲き（花の形）　　　　ロゼット咲き（花の形）

ローズゴジャール　　　　ルイーズオジェ

高芯咲き

中心の花びらが高くなり、それを囲む周囲の花びらは横へ広がって反り返った形状です。フォーマルで上品な装いを感じさせ、モダンローズ（P84参照）の系統になります。販売されている切り花によく見られるタイプで、四季咲きのものが多くなります。

ロゼット咲き

花の中心から放射状に花びらが重なり合うタイプです。剣弁咲きに比べ、中心と周囲との花びらの高低差があまりなく平面的で、オールドローズ（P84参照）などに良くみられるクラシカルな花の形です。大輪で花びらの数が多いと、重さで花が下を向いてしまうこともあります。

PART ② 選び方と植えつけ

丸弁咲き（花びらの形）

ヒースクリフ

丸弁咲き
花びらの先が丸くなり、剣弁咲きとは対照的にかわいらしいイメージのタイプです。ロゼット咲きのほか、お椀のように丸くて中央が開いたような花形のカップ咲きや、周囲の花びらが中心の花びらを抱えるような抱え咲きの花形との組み合わせが多いです。

剣弁咲き（花びらの形）

ブルームーン

剣弁咲き
花びらの先が尖っていて、丸弁咲きに比べてシャープな印象を与えます。先端の尖り具合が緩やかな半剣弁咲きという種類もあります。花びらの縁が裏（外側）へ反り返っているのも特徴です。剣弁高芯咲きは、気品がありバラを代表する姿を形成しています。

波状弁咲き（花びらの形）

ニューウェーブ

波状弁咲き
花びらがフリルのように波打った姿で、愛らしいタイプです。レースのような繊細な形状を連想させ「アンティークレース」「フレンチレース」という名前の品種も。花びらに切れ込みの入ったシャーリング咲きというタイプも、波のような躍動感があります。

一重咲き（花びらの枚数）

シャングリラ

一重咲き
花びらの枚数によってバラのタイプを分けることもできます。花びら同士が重ならずに咲くものを一重咲き、花びらが6枚から19枚で二重以上に重なっているものを半八重咲き、花びらが20枚以上で密集して重なり合っているものを八重咲きといいます。

ポイント08　植えつけ① 　新苗編

購入した新苗は優しく取り扱いポットから丁寧にはずす

子どもの苗は未熟で力が弱いので、丁寧に取り扱うことがポイントです。
ポットからはずすときは、接ぎ口や根、枝部分の様子を確認しましょう。

　新苗を購入したら、大きさを確認して適切な鉢へ植えつけをします。その際に大切なことは、苗を丁寧に取り扱うということです。新苗は子どもの苗なので、衝撃などにも弱いのです。
　販売時には接ぎ口部分にテープが貼ってありますが、これは外さずにつけておきます。テープをはずしてしまうと接ぎ口部分がはがれやすくなります。翌春までは取らないでおきますが、生長が著しくくいこんでしまうようであれば、取っても構いません。
　ポットからはずしたあとは、ポイント09の手順を参考に鉢に植えていきましょう。

PART ② 選び方と植えつけ

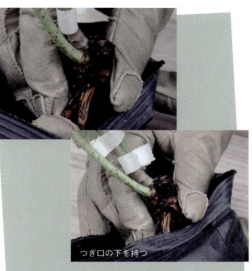

つぎ口の下を持つ

① 苗にある接ぎ口部分を確認します。接ぎ口の下を持つようにしながら、反対の手でポットが安定するようにしっかりと持ちます。

② 接ぎ口部分ははずれやすいので、丁寧にポットから出します。うまく抜けない場合は、逆さにして側面を叩くと出しやすいです。

③ ポットから出したら、根を崩さないようにします。接ぎ口に貼ってあるテープははずさずに、そのままの状態で鉢に植えつけます。

ワンポイントアドバイス

繊細な新苗の扱いは枝部分ではなく根本部分を優しく持つ

新苗は子どもの苗なので、丁寧に扱うことを心がけましょう。ポットから引き出すときや、鉢へ入れるときなど苗を取り扱う場合は、必ず根本部分を優しく持ちます。上の写真のように枝部分をつかむようにして扱うと、苗にダメージを与えてしまい、その後の生長へも大きく影響してきます。

ポイント09　植えつけ②　大苗編

苗を鉢に植えていき
生長に最適な環境をつくる

ポットから取り出した苗は適切な大きさの鉢に植えていきます。
ポットの中は根が乾燥して詰まっているので、水分と通気性を与えましょう。

大苗を植えつけた後

　P42-43ではポットからのはずし方を新苗で紹介しました。P44-45では鉢への植えつけを、大苗を使って説明します。
　ポットに入って販売されている苗は、根が窮屈な状態で乾燥気味になっています。2まわり程度大きいサイズの鉢を用意し、充分に生長できるスペースを与えましょう。活力剤もプラスして栄養が根全体にいきわたらせることも大切です。
　新苗と同様に大苗も根は崩さずに鉢へ入れます。大苗は2年目なので新苗よりは丈夫ですが、取り扱いは丁寧に行いましょう。

PART 2

選び方と植えつけ

1　用意した鉢に鉢底網を入れます。ポイント03で紹介した土も用意しておき、園芸用トレイなどでよく混ぜてほぐしておきます。

2　鉢の3分の2ぐらいの量を目安にし、土を入れます。苗の入るスペースが確保できるように確認しながら入れます。

3　活力剤をいれた水に苗をつけます。根ごとつけるので、乾燥した苗全体にまんべんなく水分がいきわたります。

4　鉢に苗を試しに入れ、土との分量を確認します。ちょうど良ければ土を足し、棒でつついてならします。

ポイント 10　誘引

つる性のバラを上手に仕立てる

つるバラは柔軟に枝を動かし、自由にデザインをすることができます。
誘引の仕方を覚えれば、楽しく仕立てることができます。

誘引の完成

　誘引は、つる性のバラをトレリスやフェンスなどに配置して固定することです。誘引すると枝が水平になり、上向きに伸びようとする頂芽優勢（P 37）の性質によってつぼみがたくさんつき、より開花を楽しむことができます。作業は休眠期（12月～1月）が適しています。暖かい時期に行うと、誘引作業によって芽の生長が阻害されてしまいます。

　作業を行うときはトゲがあるので、革の手袋をつかうのが良いでしょう。枝を固定するのにはビニタイを使うと、革の手袋でも結びつけるのが容易です。

PART ②

選び方と植えつけ

① 苗とバランスの合う鉢やトレリスを用意します。鉢底網、鉢底石、土を順に入れ、その上に細かいミリオン、ブロックのミリオン、元肥を入れます。

② トレリスへの誘引を考慮して苗の向きを確認しながら、鉢の後ろ寄りに苗を入れます。試し置きをして苗周辺のスペースを確認してから位置を決定します。

ヒモ・テープはずす前
ヒモ・テープはずした後

③ 苗の位置が決定したら、ウォータースペースが確保できる分まで追加の土を入れます。枝がまとめられていたヒモやテープ、支柱をはずし、誘引の準備をします。

④ 誘引をする前に枝のチェックをします。鉢の後ろは狭くなっているので誘引する枝を厳選し、古いものではなく元気が良く太くて新しい枝を優先します。

バラ用語 | トレリス
つるを絡ませるためのフェンスや格子状のパネル。

誘引

5 優良な枝を選び、他の枝とからみあっていないか確認しながら、下の方から順に誘引していきます。トレリスと枝をしっかり固定して、ビニタイでとめます。

6 結び終えたビニタイの端は切ります。結びとめた枝の周囲にある弱々しいなど不要な葉や枝もカットしておき、新芽が生長しやすい環境をつくります。

CHECK！

7 ビニタイでとめる間隔はあけて、下から上の方へ進んでいきます。枝と枝が重ならないように気をつけます。枝の伸びている方向に沿わせないと、折れてしまうことがあります。

8 花芽の出る場所をイメージしたら、枝の不要な部分をカットします。ほかにもバランスを見て不要な枝は芽の上で切ります。

PART 2

選び方と植えつけ

⑨ タテ方向に結ぶときは、上から内側に入るように誘引します。ビニタイをかけるときは枝とトレリスを固定し、周囲の枝を巻き込まないようにします。

⑩ 片方の手で枝とトレリスを固定するように押さえながら、反対側の手で2回程度ビニタイを巻きつけていきます。

⑪ ビニタイを二重に巻いた後、緩みのないようにし、しっかりと指で押さえておきます。反対側の手でとめるようにします。

⑫ 枝に巻きつけた後の2本のビニタイをからませるようにしながらひねり、結びとめます。枝が生長してビニタイがくいこまないよう少し緩みをもたせます。

誘引

⑬ ビニタイがほどけないようにねじりこみ、余分な部分をカット。新芽や新枝の生長の妨げにならないよう枝にまきつけます。

⑭ 誘引が完成したら、全体のバランスを確認します。傷んだものなど不要な葉や枝は取り除き、充分な水やりをし、日あたりと通気性の良い場所に置きます。

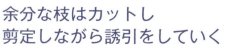 ワンポイントアドバイス

余分な枝はカットし剪定しながら誘引をしていく

　誘引をするときは、枝同士が重なりあったり絡み合ったりしないように、空間をとりながら配置することを心がけます。根本付近からシュートが出ていてバランスが良くない場合は、カットします。写真のように株に3本程度元気なものがあり、根本のシュートが余分であればカットします。

　剪定しながら誘引し、樹形を整えていきましょう。

PART 3
鉢でバラが元気に育つ お手入れを知る

　基本の植えつけや誘引をマスターしてバラの生育の環境が整ったあとも、時期に合わせたお手入れが欠かせません。
　ここでは鉢バラを元気に保ち、美しく咲かせるためのお手入れのポイントを紹介します。開花後も次のシーズンに備えてお手入れすることで、もっと美しく咲かせ、楽しむことができます。

ポイント 11　適期に応じたお手入れ

必要に応じたお手入れで 生長に適切な環境をつくる

バラは時期に合わせた適切なお手入れをすることで、より良く生長します。植物の性質や特徴を踏まえた、季節ごとのお手入れを確認しましょう。

関東標準

バラのお手入れプロセス

```
植え付け
 ↓
予防消毒 ← 元肥 ← 鉢替え（植え替え）つるバラは誘引 ← 冬の剪定 ← 花がら切り ← 秋の開花 ← 夏の剪定 ← シュートの処理 ← お礼肥（追肥） ← 花がら切り ← 春の開花
```

- → 共通の手順
- → 四季咲きや返り咲きの手順
- → 一季咲きの手順
- ■ 生育期（3月〜11月）
- ■ 休眠期（12月〜2月）

　毎日のお手入れは、水やりと充分な日光、通気性を与えることです。開花が終わった後には花がら切り（P56）や、弱っている葉や枝を見つけたらカットします。

　毎日バラを見ていれば、「元気がないから日光にあてよう」、「土や葉、枝が乾燥しているから水分を多めにあげよう」など、自然に必要なお手入れがわかってきます。日々バラを観察して健康をチェックしましょう。

　バラは春から秋が生育期で、冬は休眠期になります。季節に応じて必要な施肥や剪定などのお手入れも行います。

PART 3

鉢バラのお手入れ

1
毎日のお手入れは適切な水やりと観察

　土が乾いたら、鉢底から水がでる位充分な量を株元にまんべんなく与えます。目安は春や秋は毎日または1～2日に1回、夏は朝と夕に2回、冬は週一回ですが、土にさわって乾き具合を確認しましょう。

水の与え過ぎで根腐れや、反対に乾燥させ過ぎて根の生長が妨げられないようにしましょう。

2
美しい開花のために花がら切りや剪定を施す

　花が咲き終わったら花がら切り（P56）、夏や冬には剪定をする（P60）など、生長に応じたお手入れがあります。生長過程に沿ったケアは、次にきれいな開花を促すために必要なものになります。

3
肥料で栄養をプラスし消毒で外敵から守る

　普段の水やりでも生長していきますが、生育時に必要な組織づくりの促進には、適量の肥料（P70）が必要になります。病害虫から守るためには、予防も含めた消毒が大切なので適宜行いましょう。

ポイント 12　季節ごとのお手入れ

バラのライフサイクルを知り適切なケアをする

どの時期にどんな生長をするのか、バラの生長サイクルを確認してシーズンごとのお手入れのタイミングを把握しましょう。

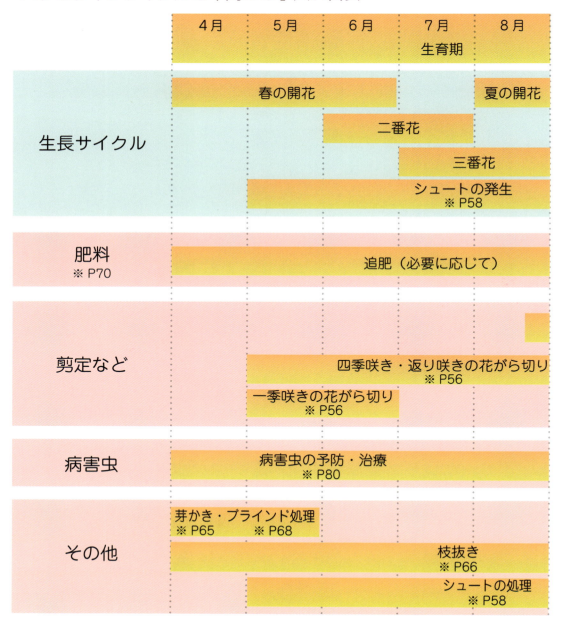

バラのライフサイクルと年間のお手入れ目安

PART 3 鉢バラのお手入れ

　バラは初夏に新芽が生長し、春の開花を迎えます。品種にもよりますが、夏や秋にも開花を繰り返します。春から秋の生育期を過ぎ、冬になると休眠期に入りエネルギーを備えます。活発に生長しているときとゆっくり生長している時期の違いを把握し、下の表を参考にその時期に応じたケアをしましょう。

　夏の日差しが強い時期には、直射日光のあたらない涼しい場所へ移動したり、大きい鉢に入れる二重鉢にし、外熱が直接鉢にあたらないようにします。

　台風の時期には、風雨があたらない場所へ避難させたり、板やヨシズで囲んだりして、あらかじめ天候に応じた対策をします。

関東標準

9月	10月	11月	12月	1月	2月	3月
			休眠期			
	秋の開花					芽の生長
			落葉			
			元肥			追肥
夏の剪定 ※P60			冬の剪定（木立性・半つる性）※P60 冬の剪定・誘引（つる性）※P46			

ポイント13 開花後のお手入れ

花が咲き終わった後は花がら切りをする

開花後は次に咲く花へより栄養が行きわたるように、花がらを切ります。
花が咲いたら、カットするタイミングをこまめにチェックしまよう。

　開花後は、花がら（咲き終わった花）を切ります。花をそのままにしておくと、栄養が花がらへいってしまい、次に開花を控えたつぼみやほかの枝葉へ栄養が送られ難くなるのです。キレイな花を順番に咲かせるためにも、花がら切りをこまめに行いましょう。
　一輪咲きは、花後の枝の真ん中あたりにある五枚葉の上を目安に、カットします。
　房咲きは房のなかで開花が終わったものから取っていきます。花首は柔らかいので手で摘むこともできます。すべてが咲き終わったら房ごとハサミで切ります。一輪咲きと同様に、花後の枝の五枚葉の上あたりをカットします。

花がらを切る

PART 3 鉢バラのお手入れ

1 開花後の状態を確認
花が完全に咲き外側の花びらがくすんだり、色がやや変色したら切ります。花が枯れる前に行います。枯れてしまうとその枝自体への水分供給が少なくなり、次の芽の生長が妨げられます。

2 花がらをカットする
カットする花がらを確認し、花後の枝の真ん中あたりにある五枚葉の上を目安に、カットします。切るときは、他の枝葉を傷つけないように気をつけながら行いましょう。

3 切った後の花がらをチェック
花がらを切る長さの目安は、上記写真のようになります。花がら切りは、やや花びらがしおれかけた状態です。花びらの色味や状態をチェックして、適宜カットします。

4 次の開花を待つ
花がらを切ると、芽や葉、株へと栄養が送られるようになり、より良い次の開花が期待できます。実をつける品種の場合は花がらを切らずにおくと、その後に実がなります。

バラ用語 | 花首
花を支えている、花のすぐ下の茎の部分。

ポイント 14　シュートの処理

花全体のバランスを見ながらシュートの処理をする

シュートはとても勢いがあり、そのままにしておくとグングン生長します。
全体のバランスや今後の生長を考え、適切な処理をしていきましょう。

株元から出たベーサルシュート

　シュートとは、新しく伸びた若い枝のことをいいます。根本の近くから伸びているものをベーサルシュート、枝の途中から出ているものをサイドシュートといいます。
　春から秋（5〜10月頃）にかけてシュートは出てきます。そのままにしておくと、グングンと生長していきます。伸びたシュートによって他の枝に光があたらなくなる、通気性が悪くなる、樹形が崩れる、現在あるメインの枝を活かしたい、などの場合は処理をします。
　翌年の開花に向けてメインの枝として育てる場合は、カットせずに大事に育てれば、段々と太くてがっしりとしてきます。

PART 3

手でピンチ（摘み取る）する場合

鉢バラのお手入れ

1 先端をピンチする
ベーサルシュートはそのままにしておくと、上の写真のように枝先が分かれてほうき状になり、栄養の分散がおこります。まだ枝が柔らかいうちに先端をピンチ。

2 ピンチ後は新芽が出る
5枚葉の上を目安に、手で摘み取ります。手で摘むことは、ハサミで切るよりもバラへのダメージが少なくてすみます。ピンチした後は新たな芽が出て生長します。

ハサミでカットする場合

3 樹形を考えてカットする
ピンチをしないで伸びたシュートから花が咲いた場合は、ハサミでカットして処理をします。切る場所は、生長後の樹形をイメージしたところにします。

4 シュートを切って生長を促す
自分が思い描いた長さで、枝の節や芽の上を目安に切ります。シュートをカットして処理をすると樹形が整い、メインの枝や株へ栄養が行き、生長を促します。

バラ用語 | **樹形**
葉や茎など植物全体で構成された外形。

ポイント 15　季節の剪定

適切な剪定をして開花の準備をする

夏や冬には、枝葉を切る剪定作業を行います。
剪定の目的は同じですが、夏と冬では切るボリュームが違います。

冬の剪定

　夏（8月下旬～9月上旬頃）と冬（1月～2月頃）には、剪定を行います。剪定の目的は、樹形を整えたり枝を短くして株や新しい芽にさらなる栄養を与えること。夏の剪定は秋の開花、冬の剪定は春の開花の準備です。

　剪定をしないと樹形が崩れ、枝同士が重なり合って日があたらずに弱る枝が出てきま す。キレイに咲かせるためにも、不要な枝葉はカットしていきます。

　夏は生育期なので、継続して生長できるように葉を残し、自分で決めた高さを目安に切ります。冬は休眠期で、栄養を備える時期なので枝葉を思い切りカットし、株や残った枝葉に栄養を集中させます。

夏の剪定　芽をチェックしながら切る

鉢バラのお手入れ

1 全体のバランスを確認する
全体のバランスやそれぞれの葉や枝の状態を確認し、芽がどこから出ているか、出ていないかもチェックしておきます。

2 切る高さを決める
カットしたい高さを決めます。どの位置に花がくるか自分の思い描いた高さを想定しますが、イメージが無い場合は、3分の1程度を目安にするとよいでしょう。

3 出ている芽をチェックする
健康な芽が出ているところがあれば、チェックしておきます。枝葉が多いので、事前に枯れ葉や切れた枝、細い枝などを取り除いておくと、見つけやすいです。

4 芽の上にハサミを入れる
基準になる枝から順番に切ります。事前にチェックしておいた、健康な芽の上にハサミを入れるようにします。枝を軽く伸ばし、切りやすい状態にしましょう。

季節の剪定

夏の剪定　時計まわりに切る

5　時計まわりに切る
イメージの高さになるようにハサミで切っていきます。切るときは、時計回りに切り、枝ぶりを整えることも念頭におきます。

6　横の枝も切る
横から出た枝も切り、風通しの良い状態にします。生育期なのである程度の葉は残し、充分な光合成をさせて生長させることも大切。

7　剪定後の樹形を考える
イメージの高さになるように切りながら、枝葉を調整します。樹形のデザイン性も考えてカットしましょう。

8　剪定完了
各枝にある程度の葉を残しながら、高さを揃えます。切り口の下にある葉のつけ根の芽から新しい枝が伸び、秋には花をつけます。

PART 3

夏と冬ともに剪定後は肥料を与える

⑨ **固形肥料を置く**
夏と冬ともに剪定後は肥料を与えて、切った後の枝や株へ充分な栄養を施します。余分な枝葉がない分、残った枝や株へ集中的に栄養がいき、生長が促されます。

⑩ **株元の周囲へ均一に置く**
肥料は株元を囲むように、鉢の周囲へ均一に置きます。株元の近く（鉢の中心）に置くと、株元が傷んで生長が悪くなります。

鉢バラのお手入れ

ワンポイントアドバイス

1

2

3

中途半端に切り残すと枯れてしまう

剪定で枝を切るときは、葉や芽の節の上を切ります。枯れた枝や弱っている枝は元からきれいに切り取ります。中途半端に残している（写真①）と、枯れ込みしてくる原因になります。剪定しながら、切り残しがないかも確認しましょう。

季節の剪定

冬の剪定　春の開花に向け多めに切る

1 来春の樹形をイメージする
翌年の樹形を考えて切る位置を考えます。休眠期で葉は少ないですが、残っていれば取り除いておくことで、病害虫予防になります。

2 決めた高さにカットする
切る位置を決めたら、夏の剪定と同様に時計まわりに切ります。太い枝を残し、細い枝や枯れた枝など不要なものを切りましょう。

3 良い枝は残しながら切る
芽があるものや太くてしっかりした良い枝は残し、葉がなければカットします。この大きさのバラを剪定すると枝の量は、右上の写真くらいになります。

4 剪定が完了する
冬の剪定は思い切り枝を切り、翌春の開花に向けて残した枝や株へ栄養を集中させます。深く切っても枯れることはありません。剪定後は適切に肥料を施します。

ポイント 16 芽かき

春の開花に向けて余分な芽を取り除く

暖かくなると新しい芽が出はじめます。健康な芽を元気に育てるために、生長が悪い芽は早めに取り除いておきましょう。

PART 3

鉢バラのお手入れ

1 健康状態の良くない芽をチェックする。

2 芽の根元から手で摘み取っていく。

3 キレイに取り除く。

4 不要な芽が除かれ、つぼみに栄養がいく。

　春（3〜5月頃）になると少しずつ暖かくなり、新芽が出てきます。なかにはつぼみもつかないような生長の悪い芽や、株元を覆う枝になりそうな芽、傷んでいて見栄えの良くない芽などもあります。余分な芽を取り除き、枝を整える作業を芽かきといいます。キレイなラインの枝が伸びて上手に花が咲くために、春の開花前に行う大切なお手入れの一つです。

　枝の途中に生長の悪い芽があった場合（写真上）には、その芽を手で摘み取ります。硬い枝先に健康状態の悪い芽がありその下に良い芽があれば、良い芽の上をハサミで切りましょう。

ポイント 17 枝抜き

良い枝を見極めて残し不要な枝を間引く

春を迎えて枝もグングン伸びると、枝同士が重なり合い通気性が悪く光があたらなくなったりします。枝を間引いて、問題を解消しましょう。

枝抜きをする前

　春になり開花をし始めた頃から、枝の状態もチェックしていきます。生長が盛んになると、伸びた枝同士で通気性が悪く蒸れやすくなったり、光があたりにくくなることがあります。こうなると葉は黄変してきます。これを防ぐために、不要な枝を抜いていきます。

　株の内部や株元を見て、枯れている枝や細い枝、生長が止まっている枝、内側へ向いて伸びた枝などを切っていきます。

　株元には充分な光や風があたるように、周囲の葉は取り除いておきます。新たなシュートが出てくる環境を整え、病害虫の予防にもなります。

　枝同士がじゃましあっていないか定期的に点検し、蒸し暑い夏がくる前に快適な環境を整えましょう。

PART 3

鉢バラのお手入れ

① 下からチェックする
鉢を下から見て、まわしながらチェック。下から見ると、表面を見ているときと違い、枝の重なり合い具合がわかりやすくなります。

② 不要な枝を切る
重なり合っている枝や枯れている枝や細い枝、生長が止まっている枝、内側へ向いて伸びた枝などを中心に不要な枝を切ります。

③ 内側に空間をつくる
内側の様子もよく確認し、空間をあけたいところには枝をカットしてスペースをつくります。各枝の生長具合も確認します。

④ 枝抜き完了
枝抜きをしたことで、重なり合っていた枝がなくなり全体的にすっきりします。光や風があたりやすく、快適な環境ができます。

ポイント 18　ブラインド処理

つぼみがつかずに生長が止まった枝を切る

つぼみをつけることなく生長が止まってしまう枝をブラインドといいます。
健康な芽の生長を促進させるために、ブラインド処理を行います。

ブラインドを処理する前

　枝が伸び芽吹き出すと、なかには生長が止まり、つぼみをつけないものも出てきます。日光の不足や寒さなどが要因で生長が止まってしまった枝をブラインドといいます。

　つぼみがつかないものを見つけたり、芽の先を触って硬さがなくつぼみが育っていないと感じたら、その枝は切り戻します。切る位置は、つぼみをつけない芽の下にある健康な芽の上または5枚葉の上で切ります。

　葉は茂っているのになかなか花が咲かないと思ったら、ブラインドだったということもあるので、適切な時期に処理をしましょう。

1 ブラインドを見つける

つぼみをつけずに生長が止まってしまっている枝を見つけます。周囲の枝よりも弱くて栄養不足を感じるほど見てすぐにわかるものもあります。

2 ブラインドをカットする

健康な芽の上または5枚葉の上で切ります。切り戻す処理をすることで、他の元気な枝に栄養がよりよくいきわたります。

3 次の芽が生長する

不要な部分をカットすると、側芽が生長し元気なつぼみをつけて開花していきます。他にもブラインドがないか、チェックしておきましょう。

バラ用語 側芽（そくが）（脇芽）
茎の途中や葉の根元から出ている芽。通常は先端の芽（頂芽（ちょうが））に栄養が優先される。

ポイント 19 肥料について
適切なタイミングと量を確認して肥料を与える

元気に育ち美しい花を咲かせるため、肥料は欠かすことができません。
季節に応じて与えるタイミングと量を確認し、充分な栄養を与えましょう。

　バラ栽培には、肥料がとても大切で、生育期と休眠期にそれぞれの生長過程と季節に応じた適切な施肥を行います。

　3月～11月の生育期には、四季咲きの品種の場合、月1回の追肥をします。一季咲きの品種では一番花の前の4月上旬に与えます。追肥は芽だし肥、お礼肥ともいわれ、エネルギーを多く使った開花後に、消耗した力を補うための栄養として補給します。

　休眠期には、12月～2月の間に1回元肥を与えます。元肥は土にまぜて根の生長や春の芽だし、一番花を咲かせるための栄養分として力を発揮します。

　肥料が多過ぎると、葉のまわりが茶色くなったり、芽も茶色をおびてくる肥料やけをおこすことがありバラにダメージを与えます。少なすぎると力が弱く、病気にかかりやすい状態をおこします。

PART ③

鉢バラのお手入れ

1 ゆっくりと浸透する固形肥料

固形肥料はゆっくり浸透していき、追肥用は生育期に生長を促す早い効き目、元肥用は休眠期にじっくりと効くタイプになります。バラ専用肥料であれば、生長に欠かせない栄養素チッソ・リンサン・カリが含まれ安心して使えます。

2 すぐに栄養がいきわたる液体肥料

液体肥料は即効性があり、早く栄養をいきわたらせます。水で希釈して使用するものが中心ですが、ミニバラ専用などで希釈せずそのまま使用できる種類もあります。元気がないときに液肥を与えると、即効性がある栄養の刺激で弱ってしまうこともあります。

液肥混入器は、水道につなぎ液肥をセットすると希釈された液肥が散布できる。手元で水に切り替えることも可能。

ワンポイントアドバイス

バラの健康状態に合わせて肥料を与えていく

肥料は少しずつ分解されて栄養を土に与えますが、気温が高くなるほど分解の速度が早くなるので、気温の変化などにも気をつけて施肥を行います。

肥料は定期的に適量を与えますが、環境や品種の特性により、効果の表れ方に違いがでてきます。シュートが出ない、開花の勢いが悪いという場合は肥料不足のサイン、葉の周囲が茶色くなりだしたり、芽も茶色くなったら肥料の多過ぎが考えられます。

ポイント 20 植え替え・鉢替え

植え替えをして新たに生長するスペースをつくる

同じ土で育て続けると、生育不良をおこします。
新しい土に入れ替えて、さらに生長できるスペースづくりを。

左側は植え替えをせず生長不良をおこしている。右側は植え替えをして順調に育っている。

　鉢という限られた空間の同じ土で育て続けると、根詰まりなど生育不良をおこします。1年に1回、休眠期には植え替え（鉢替え）をします。大きいサイズ（8～9号以上）の鉢であれば、3年ごとでも構いませんが、鉢底から根が出ていたり、表面の土が硬くて水が浸透しにくくなったら、植え替えのサインです。

　株を今よりも大きくしたい場合は、2まわり程度大きい鉢に替えます。そのままの大きさを維持するときは、同じサイズの鉢で土だけを入れ替えます。

　植え替えは、生長が緩やかで力を備える休眠期（12～2月頃）に行います。

PART 3

同じサイズの鉢に植え替え　挿し木

株のサイズを維持したい場合は、今までと同じ位の大きさの鉢へ植え替えをしましょう。

鉢バラのお手入れ

① 大きさをキープさせて育てたい場合は、同じサイズの鉢に植え替えます。

② 鉢が小さい場合は、片手で鉢を逆さにして持って取り出し、反対側の手で受けます。

③ 根の生長具合を確認します。白い根は健康ですが、黒い場合は弱っている可能性があります。

④ からみあった根を優しくほぐすように、かたまった土をやわらかくします。

バラ用語 | 根詰まり
鉢の中で根が生長し過ぎて伸びる空間がなくなり、生長が停滞すること。そのままにすると枯れてしまう。

植え替え・鉢替え
──続き

5 活力剤の入った液体に浸し、根を傷つけないようにしながら、余分な土を落としていきます。

6 根が見える程度に土を落とし、新しい土に植え替える準備をしましょう。

7 ポイント04で紹介したように、元肥をまんべんなくまぜこんだ土を、鉢の半分程度まで入れておきます。

8 メインの枝がしっかりと上を向く位置にし、周囲のバランスを考えて配置します。

PART 3

鉢バラのお手入れ

⑨ 置く位置が決まったら、土をウォータースペースまで足して隙間をうめます。

⑩ 棒を使い、土を突つくのではなく押すようにして、土が隙間なく均等になるようにします。

⑪ 植え替え後は、鉢底から出るほどたっぷり水を与え、凍るような寒い所には置かないようにします。

ワンポイントアドバイス

挿し木苗を戸外に置いている場合の防寒対策

　戸外で育てている場合は、冬の防寒対策が重要になります。株元を腐葉土などで覆うマルチングや霜がおりる寒冷地では、初霜の前に不織布で鉢バラ全体を覆うなど対策をしましょう。バラは寒さにある程度強いですが、挿し木苗は凍らないようにした方がよいでしょう。

バラ用語 | **マルチング**
保温や保湿効果、雑草抑制に、株元を腐葉土や水ゴケ、クルミの殻などで覆うこと。

植え替え・鉢替え

大きいサイズの鉢に植え替え　接ぎ木

大きく育てたい場合は、現状の鉢よりも2まわり程大きな鉢へ植え替えをしましょう。

① 葉は全て取り除いておき、鉢のまわりをたたいてゆるめながら苗を抜いていきます。

② 根切りナイフを使い、底の方から根を4分の1程度切ります。

③ 地表面の土を落とすために、根鉢の肩の部分を削いでいきます。

④ 棒で突つきながら、根鉢の中の通気性を良くするように古い土を落としていきます。

PART ③

鉢バラのお手入れ

⑤ 植物の細胞に働いて根の生長を促し、新しい土に栄養を与える活力剤入りの水を用意します。

⑥ 活力剤を入れた水に30分程浸し、根を切って新たな環境になるという負荷にケアをします。

CHECK!

⑦ 活力剤はすぐに浸透しながら持続性もあるので、新しい鉢に替えた後、根の張りが良くなります。

⑧ 2まわり程大きな新しい鉢と鉢底ネット、元肥、ミリオンをまぜた土を用意しておきます。

バラ用語 | 活力剤
肥料の吸収を補助するなど、生長促進のサポートをするもの。

77

植え替え・鉢替え
──続き

⑨ 土を鉢の半分を目安に入れます。株の大きさや実際に置くことを考えて量を調整します。

⑩ 根鉢をほぐした苗を、立たせながら鉢の中心に入れます。細くて弱い根は切っておきます。

⑪ 手で苗を固定させるように立たせながら、土を均等にして周囲に入れていきます。

⑫ 空いたところは棒を使って土を入れ、根が乾燥しないようにし、隙間があかないようにします。

PART 3

鉢バラのお手入れ

⑬ 接ぎ口が地表面に出るようにしウォータースペースまで土を入れ、表面を軽く押します。

⑭ 新しい枝が上にくるようにし、棒で押さえるようにつついていきます。

⑮ 細かいシャワーで水を上下するようにしながら、全体的に水をたっぷりと与えます。鉢底からたくさん水が出るのを確認します。

⑯ 植え替えが完了。冬場なので日だまりの暖かい戸外に置きます。

ポイント 21　病気や害虫について

病気や害虫による被害の
予防と対策をして外敵から守る

うどんこ病などの病気やアブラムシなどの害虫による被害があります。
大きなダメージを与えないよう、外敵から守るための予防と対策を。

黒点病の被害にあった葉

　暖かくなりバラが生長するのに最適な環境になるにつれ、病気や害虫などの被害にあいやすくなります。外敵から守るためには、早めに予防をしておくことや被害にあってもすぐに対策をたてることが大切です。

　予防としては、日常の観察でこまめに葉や枝の状態を様々な角度からチェックし、虫を発見したらすぐに取り除いて適切な薬剤を塗布します。

　普段の水やりは湿った状態で与え続けると、蒸れて黒点病やうどんこ病を誘発します。必ず土の表面が乾いてから与えましょう。

　元気のないバラは病害虫にあいやすくなります。定期的に肥料を与え体力のある状態にすることは、キレイな花を咲かせるだけでなく、病害虫に負けない強い状態をつくります。

PART 3

鉢バラのお手入れ

1 虫を見つけたらすぐに取り除く

チュウレンジバチの幼虫は、バラの葉を食べる虫として多く発生します。緑色の体で発見し難いですが、葉に虫食いの跡を見つけたらよく探しましょう。見つけたらすぐに取り除きます。

2 病害虫の被害にあったら薬剤を散布する

チュウレンジバチの幼虫や病気などの被害にあったら、薬剤を散布します。葉の表面を全体的にスプレー（写真左）し、被害にあった場所の周辺は念入りに行いましょう（写真右）。黒点病の時は、雨にあてないようにすると早く回復します。

3 アブラムシやハダニを水で勢いよく洗い流す

アブラムシやハダニを効果的に駆除する方法は、鉢を傾け根本側から勢いよくシリンジをします。葉が乾いたら、薬剤を散布します。葉が濡れたままでは黒点病の原因になったり、薬剤の効き目が薄くなったりするので、シリンジは午前中に行いましょう。

バラ用語 | シリンジ
ホースや霧吹きなどで勢いよく水を葉の表や裏にかけること。

病気や害虫について

薬剤の種類や用途を確認して散布をする

薬剤には予防用と被害後の対応用として、様々な種類があります。写真のようなハンディスプレータイプは希釈せずにそのまま使えるので手軽です。なかなか駆除しきれない場合は、同じ薬剤を使い続けずに種類の違うものをローテーションして使いましょう。

鉢の中にも虫が入り込んでいる

環境が整っているのになぜかバラが弱っている場合、鉢の中に虫が入り栄養を搾取していることがあります。鉢の中のコガネムシの幼虫や初期に見つけにくいカミキリムシの予防には、ベニカ水溶剤2,000倍液を7・8・9月に株元へかけます。

鉢の中にいたコガネムシの幼虫(左)
花につくコガネムシの成虫(右)

ワンポイントアドバイス  よく見られる病気や害虫について確認しておこう

病害虫の発生しやすい条件を確認し、予防や対策法を心得ておくとダメージを受けずに育てることができます。薬剤を散布するときは、気温が高くない朝か夕方の風のないときに行いましょう。

よく見られる病気と害虫

	発生しやすい環境	予防方法	被害の症状	被害後の対応
黒点病(黒星病)	春の終わりや秋。気温が18〜25度位で発病や進行がする。	葉をよく乾燥させておく。芽出しの時期と夏場に予防薬を散布。	葉に黒い斑点が出て広がり、やがて黄色く変色する。	病気の葉を取り、薬剤を散布。よく乾燥させる。
うどんこ病	気温が18〜25度位の時期に多発。	風通しや日あたりを良くし、日照不足や水やり過多などで株を弱体化させない。	新芽やつぼみなどに白い粉のようなものが付着する。	切り戻して薬剤を散布。通気性と日照をよくする。
アブラムシ	気温が18〜25度位の時期。	新芽やつぼみ、若葉、柔らかい枝などを好むので、よく観察して早期発見をする。	汁液を吸い生長を阻害。ウイルスを媒介し、感染させることもある。	捕まえた後、薬剤を散布。
コガネムシ	成虫は春から夏頃、幼虫は通年。	成虫は花や葉をよく観察して早期発見。ベニカ水溶剤液を撒く。	成虫は花や葉を食害。幼虫は鉢の中で根を食害。	捕まえた後、薬剤を散布

PART 4
バラの品種や特性と おすすめの品種

数万種類もあるといわれるバラの品種から、自分にあった品種、好みの品種をみつけるのも、一つの楽しみです。時代ごと、性質や開花時期などによる分類と、それぞれの特徴を知ることで、育てるときの注意点も変わってきます。

品種のアウトラインと特性をわかりやすく解説し、おすすめの品種とアドバイスも紹介しています。バラ選びの参考にしてください。

ポイント 22　バラの品種

品種のアウトラインを知り
バラの特性を理解しよう

バラの系統や品種を知ると、性質や特徴がわかります。
購入するときや育てるときの手がかりにしましょう。

主な系統とその概要 （※下記系統は、P86以降で紹介している品種を中心に掲載）

	系統名	系統記号	特徴
ワイルドローズ	原種	「Sp」	野生種で半つる性のものが多い。
オールドローズ	ブルボン	「B」	返り咲きでつる性だが、一部四季咲きや木立性もある。香りが良い。
	ポリアンサ	「Pol」	小ぶりで小輪の房。四季咲きもある。
	ティー	「T」	四季咲きのものが多く、木立性やつる性、半つる性がある。ハイブリッドティーのルーツ。
モダンローズ	ミニチュア	「Min」	小ぶりで小輪の花をつける。四季咲きが多い。
	フロリバンダ	「F」	房咲きで中輪の花をつける。四季咲き。
	シュラブ	「S」	おもに半つる性で四季咲き。つる性もある。
	ハイブリッドティー	「HT」	大輪で検弁高芯咲き。四季咲きの木立性。

　バラの品種は数万種類といわれるほど数多くあります。品種を大きく時代ごとに分けると、バラの祖先ともいえるワイルドローズ、1867年に誕生した「ラ・フランス」より前のオールドローズ、「ラ・フランス」以降のモダンローズという3種類になります。
　性質や開花時期などによる分類もあり、系統ごとに記号がつけられています。ブルボン「B」は、つる性で一部四季咲きのオールドローズ、ハイブリッドティー「HT」は四季咲きのモダンローズ、ミニチュア（ミニバラ）「Min」は四季咲きの小輪モダンローズなど。
　系統の特徴を覚えておくと、品種選びをするときの手掛かりになるでしょう。

PART 4

バラの品種や特性

1 バラの原種となるワイルドローズ

バラの原種であり、種類は200ほどといわれています。祖先といえる品種は7〜8種類で、日本原産のノイバラやテリハノイバラも含まれています。非つる性のエアシャー系やつる性のクライミング・ボールソルト系があります。

ツクイシバラ

2 優雅な印象を与えるオールドローズ

原種を改良したもので、1867年に最初のモダンローズの品種「ラ・フランス」が出る以前の品種。多くが一季咲きでつる性や半つる性のものです。優雅な花形と香り、柔らかな葉や花の質感などが特徴の古くから存在するバラ。

ロサ ケンティフォーリア

3 存在感の際立つモダンローズ

1867年に誕生した「ラ・フランス」以降の品種。四季咲きで木立性のものが多く、多彩な花色や花径が大きいのが特徴。切り花としてよく用いられています。様々な育種家による研究や交配の成果により誕生した現代バラです。

リアチュチュ

バラ用語 花径
開花したときの花の直径。

お勧めのバラ紹介

バラの品種紹介

後藤みどり氏によるお勧めのバラを紹介します。
各項目は以下の内容で記載しています。バラ選びの参考にしてみましょう。

樹形（P 38 参照）	木立性、つる性、半つる性
花　色	花が咲いたときの花びらの色
花期（P 39 参照）	開花の時期　四季咲き、返り咲き、一季咲き
花形（P 40 参照）	丸弁：丸い花びら　　波状弁：フリルのような花びら 高芯咲き：花の中心が高くなる　　平咲き：花びらが平らに開く ポンポン咲き：小さな花びらをたくさんつけ半球状になる カップ咲き：お椀のように丸く咲く　　ロゼット咲き：花びらが重なり合う
花　径	開花したときの花の直径
樹　高	生長したときの大きさ
系　統	品種の特性や性質
香　り	匂いの程度　微香、中香、強香
適応環境	相応しい場所や適応可能な環境条件
耐病害虫	病気や害虫に対する耐性

❶ グリーン　アイス

樹形：つる性・横張りタイプ、花色：黄緑、花期：四季咲き、花形：ポンポン咲き、花径：2〜3cm、樹高：0.3〜0.4m、系統：ミニチュア「Min」、香り：微香、適応環境：寒さに強い・戸外での冬越し可能・日あたりよく風通しの良い場所を好む、耐病害虫：うどんこ病やアブラムシ対策が必要

アドバイス 淡い緑色で多花性。接木苗は株元から太いシュートが出て30cm位伸び先端にたっぷり花を付ける。横張りで広がるが刈り込んでも良い。

❷ マザーズディ（マザーズデイ）

樹形：つる性・横張りタイプ、花色：赤、花期：四季咲き、花形：カップ咲き、花径：4cm、樹高：0.3〜0.5m、系統：ポリアンサ「Pol」、香り：微香、適応環境：日あたりよい場所を好む・耐寒耐暑性あり、耐病害虫：耐病性が強い

アドバイス ポリアンサローズ（ミニチュアローズより丈があり花はミニタイプ）の代表種。トゲは少なく枝先にたくさんの花が咲く。枝変わり種でピンク、白、オレンジがある。

PART 4

バラの品種や特性

❸ ショート ケーキ
樹形：木立性・直立タイプ、花色：濃赤、花期：四季咲き、花形：丸弁高芯咲き、花径：4cm、樹高：0.8m、系統：ミニチュア「Min」、香り：微香、適応環境：日あたりよい場所を好む、耐病害虫：耐病性あり

アドバイス 白と赤のコントラストが美しい。花型も整い見事な花付きでとても華やか。ミニチュアローズなので4号サイズで育てられる。何本かまとめて植栽すると豪華な赤バラのコーナーが作れる。

❹ ディズニーランド ローズ
樹形：木立性・横張りタイプ、花色：オレンジ、花期：四季咲き、花形：丸弁高芯咲き、花径：5～7cm、樹高：1m～1.2m、系統：フロリバンダ「F」、香り：微香、適応環境：日あたりよい場所を好む、耐病害虫：普通

アドバイス オレンジ色の濃淡がきれいです。細い枝にも中輪の花が咲き、元気をもらえるような明るい色です。名のとおり千葉県の東京ディズニーランドに植栽されている。

❺ マチルダ
樹形：木立性・横張りタイプ、花色：クリーム白にピンクをぼかした色、花期：四季咲き、花形：丸弁平咲き、花径：5～6cm、樹高：0.8～0.9m、系統：フロリバンダ「F」、香り：微香、適応環境：寒さに強い、耐病害虫：普通

アドバイス 花弁の周りが淡いピンク、中心に行くほど白に近くなる。花弁は少ないが中心の花芯が見え愛らしい花。雨にも強く、秋まで咲きつづける。

❻ アイスバーグ
樹形：木立性（つる性もあり）・半横張りタイプ、花色：純白色、花期：四季咲き、花形：丸弁平咲き、花径：8cm、樹高：1.4m、系統：フロリバンダ「F」、香り：微香、適応環境：半日陰でもよく育つ、耐病害虫：耐病性が強い

アドバイス 純白にライトグリーンの葉が爽やかな印象。1983年に世界バラ連合の殿堂入りをしている。世界中で人気のバラ。つる性のアイスバーグもある。

お勧めのバラ紹介

⑦ ラバグルト
樹形：木立性・半横張りタイプ、花色：濃い赤、花期：四季咲き、花形：丸弁平咲き、花径：5〜6cm、樹高：0.8〜1.2m、系統：フロリバンダ「F」、香り：微香、適応環境：暑さ寒さに強い、耐病害虫：強い

アドバイス 直径5cmくらいの小ぶりな花が房になってたっぷり咲くとブーケのよう。花保ち良い。秋は花色が深い黒赤になり特に美しい。

⑧ ブラス　バンド
樹形：木立性、直立タイプ（半横張りもあり）、花色：明るいオレンジ色、花期：四季咲き、花形：丸弁カップ咲きから平咲きに変わる、花径：8〜10cm、樹高：1m、系統：フロリバンダ「F」、香り：中香、適応環境：日あたりよい場所を好む、耐病害虫：耐病性：普通

アドバイス はっきりとしたオレンジ色の花にハツラツとした明るい印象を受ける。多花性で次々と秋まで咲き続けてくれる。香りは微香。

⑨ うらら
樹形：つる性・半横張りタイプ、花色：ショッキングピンク、花期：四季咲き、花形：丸弁咲き、花径：7〜8cm、樹高：1m、系統：フロリバンダ「F」、香り：微香、適応環境：日あたりよい場所を好む、耐病害虫：株が強健で葉に厚みがあるので耐病性あり

アドバイス ローズピンク色の花が連なるように咲いて華やか。花保ち良く、最近のピンクのバラの中でも特に人気があります。

⑩ ゴールド　バニー
樹形：木立性、横張りタイプ、花色：黄色、花期：四季咲き、花形：丸弁咲き、花径：8cm、樹高：1m、系統：フロリバンダ「F」、香り：微香、適応環境：日あたりよい場所を好む、耐病害虫：黄色い品種の中では比較的病気に強い

アドバイス 光るような艶やかな葉に鮮やかな黄色い花の映りが素晴らしい。テラコッタの鉢が似合う。

PART 4

バラの品種や特性

⑪ ボレロ
樹形：木立性・半横張りタイプ、花色：純白から薄いピンク、花期：四季咲き、花形：丸弁カップ咲きからロゼット咲き、花径：8〜9cm、樹高：1m、系統：フロリバンダ「F」、香り：強香、適応環境：日あたりよい場所を好む、耐病害虫：黒点病に強い

アドバイス 繊細で儚げな印象の花で，まとまって咲くと見応えがある。フルーツの香りで常に咲き誇る名花。鉢植え向きな樹形がまとまり易い品種である。

⑫ グラニー
樹形：半つる性・横張りタイプ、花色：ピンク色、花期：四季咲き、花形：カップ咲きからロゼット咲きに変わる、花径：7〜8cm、樹高：1m、晩秋まで楽しめる、系統：シュラブ「S」、香り：微香、適応環境：日あたりよい場所を好む、耐病害虫：うどんこ病に注意

アドバイス とても健康的で美しい。横張りなので広げるように仕立てると本来の自然樹形で素晴らしい。脚のあるプランターに植えて下垂させても良い。

⑬ ストロベリー アイス
樹形：木立性・横張りタイプ、花色：白にピンクの覆輪が入った色、花期：四季咲き、花形：丸弁咲き、花径：8cm、樹高：1.2m、系統：フロリバンダ「F」、香り：微香、適応環境：日あたりよい場所を好む、耐病害虫：強い

アドバイス 花保ち良く雨に強い。花弁の明るいルージュピンクの覆輪がとても愛らしい。横張りになり、トゲは大きくたくさんある。香りはほのか。

⑭ レディ エマ ハミルトン
樹形：木立性・直立タイプ、花色：オレンジ色、花期：四季咲き、花形：丸弁カップ咲き、花径：8cm、樹高：1m、系統：シュラブ「S」、香り：中香・フルーツ系の芳香、適応環境：耐寒性、耐暑性が強い、耐病害虫：強い

アドバイス オレンジの透き通る花に赤芽の枝がよく似合う。イングリッシュローズでは特に人気。コンパクトに咲き揃う。フルーティな香りも魅力。

お勧めのバラ紹介

⑮ アンクレット

樹形：木立性 半直立タイプ、花色：赤、花期：四季咲き、花形：ロゼッタ秋はカップ咲き、花径：8cm、樹高：1.2m、系統：シュラブ「S」、香り：ダマスク香、適応環境：耐病性有り

アドバイス モダン・ダマスク香にシトラス香がのった強香。3〜5輪位の房咲き。カップ咲きから弁先が波打つロゼット咲き。新芽は銅色を帯び細立ちで節間が広く華奢なイメージ。葉は波打ちやや下向き。コンパクトにまとまり鉢栽培にも向く。

⑯ ヴィンテージ フラール

樹形：木立性 直立タイプ、花色：サーモンピンク、花期：四季咲き、花形：カップ咲き、花径：8cm、樹高：1.3m、系統：シュラブ「S」、香り：微香

アドバイス サーモンピンクの花は形のよいカップ咲きで数輪の房で咲く。爽やかなフルーツ香。花付きがよい。葉はややグレー色を帯び、混植植えでも目を引く。耐暑性があり夏場でも生育が弱ることが少ない。2007年から切り花で販売。

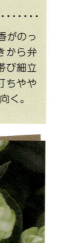

⑰ エクレール

樹形：木立性 直立タイプ、花色：グリーン、花期：四季咲き、花形：カップ咲き、花径：4cm、樹高：0.5m、系統：ポリアンサ「Pol」、香り：微香、適応環境：耐病性有り

アドバイス 数輪〜数十輪の房咲き。春はシベを覗かせて咲き、他の時期は路地だとあまり開かない。元々切り花品種で花もちが非常によく雨にも強い。花付きが大変良く幼苗時には株の力以上に花を付けるので摘蕾をまめに行うとよい。

⑱ カシスオレンジ

樹形：木立性 直立タイプ、花色：ローズ、花期：四季咲き、花形：半剣弁高芯咲き、花径：12cm、樹高：1.2m、耐暑性が強い、系統：ハイブリッドティー「HT」、香り：微香、適応環境：耐病性有り

アドバイス 春、秋の低温時には朱色が強くのり、1輪もしくは数輪の房で咲く。節間が短くまとまりが良いので鉢栽培にも向く。冬季剪定で樹高の1/2位を目安に切り戻す。古枝になるとシュートの出が悪くなる。シュート更新の枝を多くする。

PART 4 バラの品種や特性

⑲ シェエラ ザード
樹形：木立性（半つる性もあり）・直立タイプ、花色：紫系の濃いピンク、花期：四季咲き、花形：波状弁咲き、花径：7〜8cm、樹高：1.2m、系統：フロリバンダ「F」、香り：強香、適応環境：日あたりを好み耐暑性がある、耐病害虫：うどんこ病に強い

アドバイス 春は青みがかったピンク、高温期につれて花が華やかな明るいピンクになる。つんと尖った花弁が波状になっていてフリルのようで美しい花型を作り出している。ダマスク香にティスパイスの入ったエキゾチックな香り。

⑳ あおい
樹形：木立性・半直立タイプ、花色：茶色を含むライラック色、花期：四季咲き、花形：波状弁ゆるいカップ咲き、花径：5〜6cm、樹高：1.0m、系統：フロリバンダ「F」、香り：微香、適応環境：耐寒性はやや劣る、耐病害虫：耐病性あり

アドバイス ゆるやかに波打つ花弁と妖艶な雰囲気の落ち着いた色合いが素晴らしい。花保ちが良く、一輪が2週間以上先続けてくれる。香りはほのかなフローラルの香り。

㉑ ル・ポール ロマンティーク
樹形：つる性、花色：ピンク、花期：四季咲き、花形：ロゼット咲き、花径：12cm、樹高：3m、系統：クライミング「Cl」、香り：微香、適応環境：耐病性有り

アドバイス 枝はトゲが少ないが堅く誘引時は折れや跳ね返りに注意が必要。細い枝にも沢山花を付け枝の寿命も長く冬季の剪定では将来シュートをあまり多く切り返さず古枝がやや多い位の方が花付きもよい。ピエール ドゥ ロンサールの枝変わり。

㉒ シュシュ
樹形：木立性・横張りタイプ、花色：ピンク、花期：四季咲き、花形：丸弁咲き、花径：5〜6cm、樹高：1.2m、系統：フロリバンダ「F」、香り：微香、適応環境：耐暑性がある、耐病害虫：普通

アドバイス 淡いピンクの優しい花。房咲きでたくさんの花をつける。切り花として使っても水あげが良く、アレンジしやすい。

お勧めのバラ紹介

㉓ ニュー ウェーブ
樹形：つる性・直立タイプ、花色：白に紫のグラデーションが入った色、花期：四季咲き、花形：丸弁平咲き、花径：10cm、樹高：1.5m、系統：ハイブリッドティー「HT」、香り：中香、適応環境：日あたりよい場所を好む、耐病害虫：普通

アドバイス シックな花色が人気。澄んだ優しい香りがある。幼苗期は消毒を欠かさずに。

㉔ フランシス デュブルーユ
樹形：木立性・横張りタイプ、花色：濃赤、花期：四季咲き、花形：丸弁カップ咲きからロゼット咲き、花径：6〜7cm、樹高：0.7〜1m、系統：ティー「T」、香り：強香、適応環境：寒さに弱い、耐病害虫：普通

アドバイス 深い赤いワインのようなマゼンタ色。強いダマスクな香りがある。房に3〜5この花が咲く。

㉕ ラ ドルチュ ヴィータ
樹形：木立ち性、花色：アプリコットイエロー、花期：四季咲き、花形：丸弁カップ咲き、花径：7〜8cm、樹高：0.8m、耐寒・耐暑性：普通、系統：フロリバンダ「F」、香り：強香、適応環境：日あたりよい場所を好む、耐病害虫：普通

アドバイス 立ち姿が自然に美しくなる。ソフトな黄色が華やかで、甘い香りがある。鉢植えにも向く。

㉖ ラ マリエ
樹形：木立性、花色：ソフトピンク、花期：四季咲き、花形：波状弁ロゼット咲き、花径：8〜10cm、樹高：1〜1.2m、系統：フロリバンダ「F」、香り：強香・フルーツ系、適応環境：日あたりよい場所を好む、耐病害虫：普通

アドバイス ヒラヒラとした蝶のように舞う花姿がかれんで、すっきりとした香りが魅力。鉢植えにも向く。

PART 4 バラの品種や特性

㉗ ウィンダミア
樹形：木立性　半直立タイプ、花色：白、花期：四季咲き、花形：カップ咲き、花径：8cm、樹高：1.3m、系統：シュラブ「S」、適応環境：耐病性有り

アドバイス フルーツ香にレモン香がのる。樹形は半横張り性で節間も短くこんもりと密に茂る。枝にはトゲが少ないがしなやかさはなく堅い。冬季剪定で樹高の1/2位を目安に切り戻す。名前はイギリス北部にある「ウインダミア湖」にちなむ。

㉘ ジュビリー　セレブレーション
樹形：半つる性、花色：サーモンピンク、花期：四季咲き、花形：カップ咲き、花径：9〜10cm、樹高：1.2m、系統：シュラブ「S」、香り：強香、適応環境：日あたりよい場所を好む、耐病害虫：きわめて強健・薬剤散布をしなくても病気にかかりにくい。

アドバイス 花色が一律でなく表はクリームピンク裏はシルクのように淡いピンクが光る。香りはフルーティー。

㉙ プリンセス　アン
樹形：木立性、花色：ピンク、花期：返り咲き、花形：カップ咲き、花径：8〜10cm、樹高：1〜1.2m、系統：シュラブ「S」、香り：微香、適応環境：日あたりよい場所を好む、耐病害虫：普通

アドバイス 咲き始めはローズピンク、次第にライトピンクになっていく。次々と咲きつづけ、放射状に広げるように剪定すると美しい姿になる。

㉚ スーブニール　ド　ラ　マルメゾン
樹形：横張り性、花色：淡いピンク、花期：四季咲き、花形：ロゼット咲き、花径：8〜10cm、樹高：1m、系統：ブルボン「B」、香り：強香、適応環境：日あたりよい場所を好む、耐病害虫：普通

アドバイス 淡いソフトピンクでクオーターロゼットの花型甘いダマスク香りがある。あまり短くしないで大きめに育てた方がいい。

お勧めのバラ紹介

㉛ コーヒーオベーション
樹形：木立性・横張りタイプ、花色：濃茶色、花期：四季咲き、花形：カップ咲き、花径：4〜5cm、樹高：0.4m、系統：ミニチュア「Min」、香り：微香、耐病害虫：黒点病対策必要

アドバイス レンガ色のシックな花色で花保ちが良く、開花から20日以上花が咲いている。肥料切れになると、樹性が弱るので注意する。

㉜ ピンクマザーズディ
樹形：木立性、花色：ピンク、花期：四季咲き、花形：カップ咲き、花径：4cm、樹高：0.5m、系統：ポリアンサ「Pol」、香り：微香、適応環境：日当たりを好む、耐病害虫：病気に強く、耐寒性や耐病性あり

アドバイス ほんのりと花弁の外側に色付くピンクが愛らしい。あまり大きくなりすぎずトゲが少ないため扱いやすい。

㉝ ヒーリング
樹形：木立性・半直立タイプ、花色：ピンク、花期：四季咲き、花形：ロゼット咲き、花径：13cm、樹高：1.3m、系統：ハイブリッドティー「HT」、香り：強香

アドバイス 太い枝を切って樹高を低く保つことで、鉢植えでも十分多花で楽しめる。明るいピンクにライラックがかるニュアンスのある色と、ミルラとティーの甘い香りが魅力

㉞ アンティークレース
樹形：木立性・半直立タイプ、花色：アプリコット色、花期：四季咲き、花形：カップ咲き、花径：4cm、樹高：1.4m、系統：ミニチュア「Min」、香り：微香、耐病害虫：予防で病害虫には対応したほうが良い

アドバイス 切り花としても人気の花型と色合いで、ブーケのように美しくまとまる。

PART 5
寄せ植えで
バラをアレンジする

　寄せ植えでは、ひとつの鉢に複数のバラを植え込みます。扱いやすいミニバラを使うと、かわいらしい、小さな寄せ植えとして楽しむことができます。
　またミニバラよりやや大きなポリアンサローズを使うことで、高低差のあるアレンジにも挑戦。花とグリーンの組み合わせによっては、さまざまなアレンジが可能です。

ポイント23 寄せ植えのポイント

一つの鉢で複数の植物を楽しむ

花やグリーンを組み合わせて植え込み、表情豊かな一鉢が楽しめる"寄せ植え"。
主役にミニバラを使うと、置き場所を選ばない小さな寄せ植えが手軽に作れます。

　植物の取り合わせは、色合いや草丈、草姿などのバランスを考えます。一つの鉢の中に数種類の植物が共存するために、同じ環境を好む植物を選ぶことが大事です。ミニバラの寄せ植えでは、水と日光を好む植物がポイント。草花は水や蒸れに強く丈夫なものを選び、色合いはバラに合わせて。草丈の低い植物や這い性植物がおすすめです。寄せ植えは、ひとときの季節を楽しむもので3〜4ヶ月を目安に全体を見直して、そのつど草花は植え替えましょう。大きく育てるには、寄せ植えとして楽しんだ後に個別に鉢に植え替えを。

PART 5

寄せ植え

1 場所に合わせて器選びから楽しんで

どんな器に植えるかによって、寄せ植えのイメージが決まります。どこに飾るのか具体的に思い描いて、器を選ぶことから楽しんでください。素焼き鉢以外にも、いろいろなバスケット類が利用できます。

2 麻布やクルミなど小道具でセンスアップ

バスケットの中敷に麻布を使ったり、鉢土のマルチングにクルミの殻を敷き詰めるとアクセントになります。寄せ植えのベースや仕上げに味わいある自然素材の小道具を使うと、寄せ植えの魅力やおもしろみが増します。

ワンポイントアドバイス

道具を使って隅々に土をしっかり入れる

寄せ植えは複数の苗を植えるので、苗と苗の間にすき間ができやすいもの。根鉢のまわりに土がないと、苗は新しい根を伸ばせません。土を入れたら棒でつついてみて、土が沈めばさらに足しましょう。使用する棒は、菜箸のように先の細いもののほうが作業しやすい場合もあります。

ポイント 24　寄せ植えアレンジ①

２種類のミニバラを
一つの鉢に植えて楽しむ

色違いの花を組み合わせるだけで、ミニバラの鉢植えはぐんとかわいらしさを増します。バランスよくまとめるには、株の大きさの違う挿し木苗を使うのがコツ。

　挿し木苗のミニバラは、2.5号〜4号のポットで多く流通しています。接ぎ木苗に比べて根の張りが浅いので、バラ同士の寄せ植えを小さな鉢で手軽に作ることができます。花色の取り合わせは好みで選んで楽しみましょう。２つの株の大きさに差をつけたほうが、全体のバランスをとりやすく、色のボリュームにも強弱がついてきれいにまとまります。ここでは３号と４号のポット苗を用意しました。根鉢の高さが違うので、植えつけ時に高さを揃えるための調整をすることが、美しく仕上げるポイントです。

PART 5

寄せ植え

1 丸いフォルムがかわいい受け皿付きの素焼き鉢（口径16.5cm、高さ13cm）は、ひととき室内で楽しむにも好適。鉢底穴をネットで覆います。

2 底穴が大きいので軽石は不要。市販の培養土に元肥とミリオンをよくまぜて、鉢の深さの半分程度まで入れます。

3 二つの苗をポットから抜きます。根鉢は崩しません。表土を揃えて並べ、根鉢の高さの差を確認します。

4 根鉢の高さを揃えるために、高いほうの根鉢の底を親指でほじるようにしてほぐします。側面の白い根は傷めないように要注意。

寄せ植えアレンジ①

⑤ もう一度、二つの苗を並べてみます。根鉢の高さがほぼ揃ったら、次の行程へ進みます。

⑥ あらかじめバケツを用意し、活力剤を規定に従って希釈しておきます。各々の根鉢を浸します。

⑦ 根鉢の高さが揃わない場合は、低いほうの苗を植える位置に土を足して高さを調整しましょう。

⑧ 低いほうの苗を鉢の手前に植えます。

PART 5

寄せ植え

⑨ 樹高の低い苗を手前に寄せるように植え、奥に高いほうの苗を植えるスペースをあけておきます。

CHECK！

⑩ 大きいほうの苗の根鉢を両手で挟んで、厚みを少し押しつぶします。こうすると植えやすくなります。

⑪ 高いほうの苗を植えます。

⑫ 苗を手で押えながら、根鉢のまわりに少しずつ土を足します。

寄せ植えアレンジ①

⑬ 棒でつついて、すき間に土を入れます。ミニバラの根鉢の土はピートモスが主体で乾きやすいため、しっかり土を入れましょう。

⑭ 土は鉢縁まで入れず、縁から2cm程度はウォータースペースとしてあけておきます。

⑮ 根元の土を軽く押えて落ち着かせ、全体を整えます。完成後、ジョウロでたっぷり水やりします。

⑯ テーブルや窓辺に飾って楽しむこともできます。ただし、室内で鑑賞するのは1日限りに。

> ポイント 25　寄せ植えアレンジ②　PART 5

高さのあるバラで
ボリューム感を出す

ポリアンサローズは、樹高80cm程度に育ちます。枝先に多くの小輪花を咲かせるバラと、あふれるように咲く草花による高低差アレンジです。

ポリアンサローズ
「マザーズデイ」
バコパ「スコーピア」

寄せ植え

　ミニバラより少し大型のポリアンサローズ「マザーズデイ」を活かした寄せ植えです。"高さのある"といっても、バラ全般から見ればコンパクトで扱いやすい鉢植え向きのバラです。コロコロとした小輪花を房咲きにする姿が愛らしい「マザーズデイ」の6号の鉢苗を、一回り大きな7号鉢へ植えつけました。かわいい小花が這うように広がる多年草バコパ「スコーピア」を寄せ植えして、足元にもボリュームをプラス。ビビットカラーの輸入鉢が、引き立て合う二つの花をおしゃれにまとめています。

寄せ植えアレンジ②

1 鉢苗は根がぱんぱんに張って抜けにくいもの。株元をしっかり持ち、鉢の端をこぶしでトントンとたたくとスムースに抜けます。

2 株元を持って鉢から根鉢を抜きます。成長期なので、根鉢は肩の部分と底面を少しほぐす程度に。

3 土（鉢、土、苗の準備はアレンジ①と同様に）を鉢の深さの1／3程度入れてバラを植えます。バラの接ぎ口が土中に埋まらないように高さを調整します。

4 下草のバコパを植えます。棒でつつきながら、すき間が残らないように土を足していきます。

PART 5

寄せ植え

⑤ クルミの殻は近年人気のマルチング資材。暑さ対策や乾燥防止に役立ち、繰り返し使用できます。

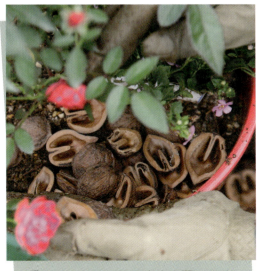

⑥ クルミの殻で表土を覆います。重ならないように均一に。以降は、ときどきクルミを持ち上げて土の乾きをチェックしましょう。

⑦ 完成後にジョウロでたっぷり水やりします。フラワースタンドにのせて飾れば、ウェルカムコンテナや、花壇のアクセントにも。

ワンポイントアドバイス

フラワースタンドを活用して日当り&風通しをよく

　フラワースタンドを利用すると、高い位置から日光がとれるようになります。ベランダの手すり側など日照を得にくい場所で栽培の助けに。また、鉢底が床面から離れて風通しがよくなることで、病害虫予防にも役立ちます。ベランダでは、風による転倒防止のためにビニタイで手すりにしっかりくくりつけましょう。

バラ用語 | 株元 | 植物の茎が土に触れている根本部分。

105

ポイント26　寄せ植えアレンジ③

水ゴケを使って
バスケットに植える

ワイヤーバスケットは寄せ植えに人気の器です。土がこぼれ出ないように、植えつけには水ゴケが必需品。動きのあるグリーンをプラスして軽やかな一鉢に。

ミニバラ
ハツユキカズラ

　ワイヤーバスケットは、デザインやサイズの種類が豊富です。小ぶりなバスケットを使えば、ミニバラにグリーンを添えるだけでおしゃれな寄せ植えが作れます。ここでは、曲線のラインを描くつる性の常緑低木ハツユキカズラで動きをだしています。水ゴケは水や肥料をよく保ち、通気性も備えた軽量な素材です。乾燥した状態で販売されているので、あらかじめ十分に水に浸して吸水させてから使用します。安価なものは砂のようにぼそぼそしてバスケットからこぼれてしまうので、毛足の長い水ゴケを使うのがポイント。

PART 5

寄せ植え

1　ナチュラルな雰囲気のハンドル付きワイヤーバスケット（幅21cm、奥行き13cm、深さ10cm）は、吊るして楽しむこともできます。

2　あらかじめ水を張ったバケツを用意して、水ゴケを水に浸しておきます。

3　水ゴケは十分に水を含ませてから、軽く絞って使用します。

4　バスケット底面に水ゴケを敷き詰めます。土の流失を防ぐ中敷の役目を果たすので、厚みを持たせて敷く。目の細かいネットをした後水ゴケを敷いても構いません。

寄せ植えアレンジ③

5 バスケットの側面にも水ゴケを貼り付けます。縁からはみ出るくらいたっぷり厚く全面を覆ったら、土を入れて平らにならします。

6 バラを植えます。枝が伸びている向きによって、中央よりも少し右か左に寄せて入れます。

7 バラの枝と反対方向へ伸びるように、バランスを見ながらハツユキカズラを植えます。

8 バラの根鉢まわりに土を入れていきます。棒でつつくとき、水苔に穴を開けないように注意を。

PART 5

寄せ植え

⑨ 根鉢の回りを棒でつつきながら、ていねいにすき間に土を入れていきます。

⑩ バスケットの縁まで土を足します。土がこぼれやすいので、仕上げに水ゴケで表土を覆います。中央部分は土の乾きがわかるようにあけておきます。

⑪ ハツユキカズラの枝の動きが寄せ植えの表情を豊かにします。その後、水ゴケが乾いたらしっかり水をかけます。

ワンポイントアドバイス

小さな寄せ植えは乾きに要注意 マルチングでセンスアップも

　小さな鉢やバスケット類は乾燥しやすいため予防策が必要です。表土を水ゴケなどで覆うことをマルチングといいますが、乾き具合が見えるように必ず表土の部分を残しましょう。マルチングは泥はね防止や地温の上昇を防ぐ効果も。装飾性も備えたものには、チップ化されたヤシ繊維やクルミの殻があります。

ポイント 27　寄せ植えアレンジ④
麻布を使ってバスケットに植える

麻布を土入れとして使えば、目の粗いバスケットも寄せ植えに利用できます。
2種類のグリーンをプラスしたシンプルな色合わせで、雰囲気ある一鉢を演出。

ミニバラ「キョー」
ロニセラ・ニティダ・オーレア
シルバータイム

　麻布は樹木の根巻きにも使われる水に強い天然素材の布地です。ざっくりした風合いとナチュラルな色合いは、どんな植物ともなじんで植物のみずみずしさを引き立ててくれます。インテリアでも活躍しそうなバスケットはフレームの空きが大きいので、麻袋を中敷にして土を入れましょう。麻布をあらかじめ袋状に縫い合わせておくか、園芸資材などの空き袋があれば再利用を。土こぼれを防ぐ資材はヤシ繊維シートなどもあります。主役のミニバラを引き立てるグリーンは、ロニセラ・ニティダ・オーレアとシルバータイム。

PART 5

寄せ植え

1. デザインが美しいアイアン製バスケット（幅24cm、奥行き15cm、高さ37cm、深さ12cm）。ハンギング用スタンドや、壁やフェンスに掛けて楽しめます。

2. バスケットのサイズより一回り大きめに麻袋をカットします。

3. バスケットに麻布を入れて広げます。

4. バスケットに布地を押し当てるようにして、麻袋を隅々に添わせます。

寄せ植えアレンジ④

5 元肥と根腐れ防止剤を混ぜた培養土をバスケットの深さの半分程度まで入れます。

6 ミニバラの苗をバスケットの中央に植えます。（苗は寄せ植えアレンジ①と同様に準備しておく）

7 ミニバラの左右に、ロニセラ・ニティダ、シルバータイムを植えて、全体のバランスを整えます。

8 苗と苗の間に土を足します。このあと棒で突いて、すき間のないようにしっかり土を入れます。

PART 5 　寄せ植え

⑨ あらかじめ水に浸した水ゴケを土の表面にのせます。水ゴケで土を覆うと水持ちがよくなります。

⑩ 土の表面に水ゴケをていねいに広げます。ただし、土が見える部分を必ず少し残し、土の乾きが確認できるようにしておきましょう。

⑪ ソフトカラーのミニバラとグリーンのおしゃれなバスケットが完成。ベンチなどに置いてもすてきです。

ワンポイントアドバイス

脇役にカラーリーフがおすすめ 鉢植えだから低木も利用できる

　鉢植えは根の生長が限定されるので、低木類も大きくなり過ぎず、寄せ植えに利用できます。バラより葉が細かいカラーリーフや斑入り葉がおすすめ。生長が遅いもの、早くても枝を刈り込みできるものが重宝です。ロニセラ・ニティダ・オーレアは這い性の常緑低木。刈り込みに強く、描くように枝が伸びます。

ポイント 28 寄せ植えアレンジ⑤

広口の器を使って
彩りを楽しむ寄せ植え

ホーローの水切りボウルを器に利用して、極小輪のミニバラのかわいらしさが引き立つ一鉢です。脇役はカラーリーフ、アクセントには真っ赤なベリーを。

ミニバラ「ヤメツヒメ（八女津姫）」
ゴールデンタイム
ディコンドラ'シルバーフォールズ'
チェッカーベリー

　ミニバラの中でも極小輪で矮性、繰り返し多くの花をつける「ヤメツヒメ」（八女津姫）を主役にした寄せ植えです。ハンドル付きの水切りボウルを器に選んで、遊び心のある一鉢に。深さが口径の半分ほどしかない浅鉢なので、草丈の低い植物の寄せ植えに向きます。「ヤメツヒメ」は5号の鉢苗を使ってこんもりとボリュームを。色数が増えると主役が引き立たなくなるので、カラーリーフを合わせるのがおすすめです。立ち性のゴールデンタイム、這い性のディコンドラ'シルバーフォールズ'は、どちらも伸びすぎたら刈り込めます。チェッカーベリーの赤い実は見栄えがしてアクセントに好適です。

PART 5

寄せ植え

1 おしゃれ感があるアンティーク調のホーロー製水切りボウル（口径23cm、深さ10cm、高さ15cm）。

2 底穴が小さいので、水はけをよくするためにボウルの底に軽石を敷きます。

3 元肥と根腐れ防止剤を混ぜた培養土をボウルの深さの半分程度まで入れます。

4 まず、ミニバラ「ヤメツヒメ」を中央に植え、バランスを見ながら左右に、ゴールデンタイムとディコンドラを植えます。

寄せ植えアレンジ⑤

5 ポイントカラーになるチェッカーベリーはいちばん草丈が低いので、最後に手前に植えます。

6 全体のバランスを見て、それぞれの苗の位置を整えます。

7 苗と苗の間に土を足していきます。棒でつつきながらすき間のないように土を入れます。ウォータースペースを忘れずに。

8 花と実とカラーリーフのコラボレーションを楽しむ欲張りな一鉢が完成。目線より低い場所に飾って、上から眺めて楽しみましょう。

エピローグ バラからのメッセージ

バラからのメッセージを感じて もっと豊かなライフスタイルに‼

　本書では、扱いやすい鉢のミニバラからスタートして、バラを育てるうえでのノウハウを順序立てて説明してきました。

　ひと通りの流れの後、季節の花やグリーンとの寄せ植えというアレンジの紹介もあり、バラの幅広い楽しみ方を感じているでしょう。

　栽培や装飾について具体的な方法を理解すると、バラと上手につきあうために大切なことはどんなことか、知りたくなります。

　エピローグでは、バラの専門家である後藤みどり氏からのアドバイスを掲載します。プロからの言葉を参考に、楽しく心地よくバラと暮らす秘訣を探っていきましょう。

バラからのメッセージ

特別な思いを感じさせ
人々を虜にするバラの魅力

ーバラの魅力はどんなところですか。

　20代の頃にバラと出会い、その美しい姿にとても惹かれました。長い年月バラづくりに携わってきましたが、バラへの思いは年々高まっています。花や葉、枝のフォルムのキレイな形と自然のなかに生きづく姿に日々魅了されていることはもちろん、私のまわりにいる愛好家の方々や、熱心な育種家の方達の気持ちに触れることで、バラの世界の奥深さを感じているからだと思います。

ーワンランク上の花という印象ですが。

　バラが多くの人に愛される理由のひとつには、非日常を感じさせる力があるからですね。特別な日にはバラの切り花を買って飾ったりしたくなりますし、自分で育てている場合には、蕾をつけたり花が咲いたのを見つけるだけでとても嬉しくなったりします。こんなふうに日常生活のなかを明るくするバラは、植物というだけでなく、嗜好品の一つにもなっているのではないでしょうか。

力強く、たくましく生長し続け
生命力が溢れる植物

ーバラは繊細でか弱いのでしょうか。

　そんなことはないんですよ。バラ栽培をはじめた頃は、今のように情報量もないので洋書を購入したりして栽培の仕方を勉強しました。そのなかでわかったことは、バラがとても強い植物であるということです。可憐な姿から弱いイメージがあるかもしれませんが、実はとても丈夫で、何年もたっても新しい枝をつけて生き続けるのです。実際、私の家にあるシャルルマランと言う品種のバラは、

数多くのイベントやボランティア活動で栽培指導などをし、バラの普及活動を行っている。

60年という古木にも関わらず今でも新しい枝が出てきます。

　今年花が咲かずに元気がないと思っても、翌年にはキレイな花をつけて元気な状態になっていることもあります。ボリュームダウンしてしまう時期もありますが、それは生長の節目だと思います。バラはその年だけを見るのではなく、2年後、3年後と長い目で見ながら育てる姿勢が大切なんですね。

　バラは肥料を多く必要とする植物ですが、木の仲間なのでもともと持っている力があります。地植えのバラのなかには、水を与えて続けているだけで長く生き続けているものもあるんですよ。

子どもから大人へ
人間と同じように生長していく

―栽培で大変なところを教えてください。
子どもの苗は、病害虫などいろいろな病気にかかります。店頭に並ぶ前の1年目の子どもの苗は、24時間寝られないくらいずっと様子を見なければならないこともあります。お客様の手に渡るまでは、本当にとても大変ですね。

　お店で購入するポイントの一つは、接ぎ木のものを選ぶことです。挿し木は流通的に多いのですが、病害虫に弱かったり、育てる側の技量が必要だったりします。

バラからのメッセージ

購入したら、栄養を与えて株元を大きくしながら3年間大事に育ててみてください。そうすると、毎年キレイな花を咲かせる強い株に生長します。

肥料や消毒など手をかけることも多いですが、手をかければかけた分スクスクと育ち、元気な姿になって応えてくれます。こうした反応がまた楽しくて、育てる醍醐味でもありますね。

自分の好みに合う品種を選ぶ

―品種選びのポイントはどこですか。

バラの品種は5万種類あるといわれるほど、たくさんあります。交配されて毎年新しい品種もでるので、年々増え続けていますね。そのなかでどんなバラを育てたいか、品種を選ぶのは迷ってしまうかもしれません。初心者の方であれば育てやすいからという理由で、病害虫に合いにくい品種や日あたりが悪くても丈夫に育つ品種を選ぶ方がいるかもしれません。しかし私は、選ぶときの基準は、自分の好きな色や香り、花の姿をした品種はどれか、自分の好みは何かということが大切だと思います。洋服と同じで自分の好きなものを選ぶことですね。自分で毎日育てるのですから、気にいったものであれば、大切にしていけます。

―自分の直感や好みで選んでいいんですね。

そうなんです。それが大事なんですよ。アメリカから来たお客様のなかには、育てるのに難しい品種であっても「私はこのバラを絶対に育てたいの」と言ってすぐに決断して購入する方がいます。日本人であれば「上手く育てられるだろうか」、「育てる自信がない・・・」と、しり込みする傾向があります。文化の違いがあるかもしれませんが、好みに対して妥協がないと感じました。バラを選ぶときは、こうした強い気持ちで決めていいんです。もしも購入した品種がうまく育たない

バラの栽培だけでなく、ガーデンデザインも行い、花と緑の美しさを伝えている。

のであれば、購入したお店の人や私のような園芸のプロに聞いてください。そのために私たち園芸家はいるんですから。

バラが訴えていることは何かを理解する

　バラを育てていると、生命力と相対していることを感じますね。お互いにエネルギーの需要と供給をしあっているような関係になり、さらに自分と一心同体の存在になっているような気がします。私の具合が悪いときは、こまめに手入れができないこともあり、バラも状態が弱くなっていきます。

　植物は何も言いませんが、茎の太さや葉の色などを見ていると訴えかけていることがわかります。初心者の方はすぐにわからないかもしれませんが、育てて1年くらいつきあってみると、元気かそうでないかというところから、少しずつ理解できます。わかってくると、その状態に対してどういう対応をすれば良いか考えるようになり、バラ栽培がうまくできるようになります。バラの様子を見ることで、数多く学ぶことがあるんです。

バラの世界がさらに広がる様々な楽しみ方

―栽培以外の楽しみを教えてください。

　バラがキレイに咲いて育てるのに慣れてきたら、次のステップとしていろいろな楽しみ方に挑戦してみるのもお勧めです。

　バラは植えられた状態のまま鑑賞できますが、切り花にして飾って楽しむのもひとつですね。切ってしまうのがもったいないと言う方もいますが、アレンジして飾られるために生まれてきたバラもあると思います。私たちがバラをキレイに飾って充分に楽しむことで、バラの役割も全うされるんじゃないでしょうか。

―実用的なものもありますか。

　ありますよ。ドライフラワーやポプリ、石

 お風呂でリラックスできるバラ水の作り方

　お風呂にバラ水を入れて、優雅な香りのするバスタイムを過ごしてみましょう。使うバラは5輪くらいが目安になります。鉢植えのバラを切って使えば、新鮮な香りが楽しめます。飾り終えた切り花でも自然の香りが残っているので試してみましょう。

<つくり方>
①バラをガクから切り、熱湯を入れた洗面器に並べる。
②洗面器をラップで覆い、バラの香りお湯に浸透させる。
③数分置いてから、香りが浸透したお湯のみをお風呂に戻す。
④花びらを湯船に浮かべる。

バラからのメッセージ

鹸、ハンドクリーム、バラ水、お茶、アロマなど。市販の商品でバラの香りのもが数多くありますが、自然の匂いは優しくて心地よさがあり格別です。私は毎日自然のバラの香りに触れているので、その違いがよくわかります。

香りを楽しむ簡単な方法に、バラの花びらを煮出してその蒸発した香りを嗅ぐというものがあります。お部屋のなかにバラの香りが少しずついきわたり、気持ちの良い時間を過ごせます。

肥料と消毒はペアで行い
生長をサポートしていく

―栽培についてどんな質問が多いですか。

お手入れのなかでも肥料や消毒については、よく質問されます。それぞれ与えるタイミングなどありますが、肥料と消毒はペアだと捉えておくとよいでしょう。

私たちは風邪をひいたときに、薬を飲んで栄養あるものを食べます。バラも同じように、弱っているときは消毒で外敵を除きながら、肥料で体力をつける栄養を補給します。どちらか片方だけではなく、両方を適宜適量与えていくことで元気で丈夫に育っていくのです。

バラが盛んに生長する時期は、栄養を多く必要とします。必要な組織をつくっている過程なので、肥料を欲しがるのですが、子どものバラであれば少しずつ与えることです。早く咲かせたいからといってたくさん与えることは、人間の赤ちゃんにステーキのお肉をあげるようなものなんです。それだけバラに無理をさせては、大きな負荷をかけてしまいます。人間と同じで生長に見合った栄養をあげることが大切ですね。

うまく育てるコツは
自分らしくバラに携わること

―上手く育てる秘訣はありますか

バラの育て方については、様々な情報があります。初めてバラを育てようとする方の中

には、「やり方を間違えないように」、「失敗しないように」と思ってしまうかもしれません。しかし大切なことは、あまり情報に左右されず、自分の望む範囲を決めてまずはそのなかで育てていくことです。最初からすべてうまくいくようにするというよりも、「病気にならないようにしたい」、「病気になってもいいから春だけ咲かせたい」など自分で決めたレベルで無理せず育てることです。

　一番のポイントはその人の生活スタイルに合わせた方法で行うことです。忙しい人なら、できる範囲でできることをする。無理せずにお手入れをするコツを覚えてもらえれば長続きします。バラ栽培はどんな人でもできるものなんですよ。

　1日1回の水やりからはじまり、週に1回の消毒など日々の作業をしていくと、段々とバラとつきあう感覚が養われていきます。自分のペースを崩さずにバラを育てることができると、バラと暮らす日常が自然とあたりまえのようになっていきます。車の運転と似ているところがあるかもしれませんね。右へ曲がろうとすれば手が勝手にハンドルをきる、そんな感覚です。バラ栽培も慣れてくれば、バラの前を通り過ぎただけで「もっと日にあてよう」、「いつもより水分が足りないかな」と、すぐに感じて苦もなくケアができるでしょう。

　あるお客様が、初めて育てたバラがとても良く咲いたと言って報告をしてくれました。丈夫な品種ではなかったんですが、環境が合っていたようです。たくさん咲くと、さらに興味を持って接するようになり、どんどんバラ栽培を楽しむようになっていましたね。この方を見ていると、初心者で知識がなくても、興味を持って育てることで、上手に生長させることができるとわかりました。

　バラ栽培が楽しくなると、「株をもっと大きくさせよう」、「次は違う品種に挑戦しよう」など、さらに楽しみ方は広がっていきます。

バラからのメッセージ

バラによって生活が変わり 自分が変わる

―バラが心に及ぼす影響はありますか。

　ありますね。バラと一緒に暮らす生活を送っていると、バラがいつの間にか家族の一員に思えてくるんです。外に出たときも、自然に花へ目がいくようになったり、自分の世界がどんどん変わってくるのがわかると思いますよ。バラによって自分が変わっていくことは楽しいし、小さな喜びを感じられることに嬉しさも覚えます。

　人間は自分の興味を持った方へ視線や気持ちが向く性質があるといいます。バラを育て始めると花に対してアンテナが向くようになります。今まで気がつかなかった道端の花に対して、「あれ、芽吹いている」、「咲きはじめた」と気がつきだすんです。

　花に触れれば触れるほど自分が変わるし、同時に人間らしい感覚が蘇っていくように思いますね。人は元々自然のなかで暮らしていて、肌で感じながら季節の移り変わりや日々の気候の変化を理解していたと思います。それが段々と先進的な暮らしの中で、自然を察知する感覚が鈍くなってきたのかもしれません。植物と暮らすということは、こうした感覚を取り戻す原点だと思いますね。

　「バラってキレイだな」から始まって、「自分で育てて見よう」と思い栽培すると、「繊細な花びらはそっと扱おう」と細心の注意をはらうようになります。こうした細かいことへ配慮するような習慣が身につくと、少しずつ変化がおこります。植物と接するとき以外でも、いろいろなことに気がつける自分に変わっているんです。

　バラによって自分が変わっていくことは、とても素敵なことだと感じます。バラを楽しみながら育てていき、心地よく豊かなライフスタイルが築けると嬉しいですね

ボタニカルアートに描かれたバラの美しさを鑑賞しよう

　バラの楽しみ方として、アートに取り入れられたバラを鑑賞するのもお勧めです。

　ピエール＝ジョゼフ・ルドゥーテ（1759年～1840年）は、ベルギー出身の植物画家です。彼が描く繊細で鮮やかな絵は、植物がそこに息づいているかのような存在感があります。数多くの植物画を残していますが、そのなかでもバラを題材にしたものは多くの人々に感動を与えています。

　バラを栽培しアレンジするだけでなく、ボタニカルアートのバラに触れることで、美しさへのセンスが磨かれるでしょう。

【索　引】

あ
- アブラムシ……………………………… 82
- 一輪咲き（いちりんざき）…………… 39
- 一季咲き（いっきざき）……………… 39
- 植え替え………………………………… 72
- ウォータースペース…………………… 33
- うどんこ病……………………………… 82
- 液体肥料………………………………… 71
- 枝抜き…………………………………… 66
- 大苗（おおなえ）……………………… 37
- オールドローズ………………………… 84

か
- 返り咲き（かえりざき）……………… 39
- 活力剤（かつりょくざい）…………… 77
- 株元（かぶもと）……………………… 105
- 株分け（かぶわけ）…………………… 33
- 木立性（きだちせい）………………… 38
- 休眠期（きゅうみんき）……………… 52
- 巨大輪（きょだいりん）……………… 19
- 剣弁咲き（けんべんざき）…………… 41
- 高芯咲き（こうしんざき）…………… 40
- 号数（ごうすう）……………………… 23
- コガネムシ……………………………… 82
- 極小輪（ごくしょうりん）…………… 19
- 黒点病（黒星病）（こくてんびょう、くろほしびょう）… 82
- 固形肥料………………………………… 71

さ
- サイドシュート………………………… 58
- 四季咲き（しきざき）………………… 39
- シュート………………………………… 58
- 樹形（じゅけい）……………………… 59
- 小輪（しょうりん）…………………… 19
- シリンジ………………………………… 81
- 新苗（しんなえ）……………………… 36
- 生育期（せいいくき）………………… 52
- 剪定（せんてい）……………………… 60
- 側芽（脇芽）（そくが、わきめ）…… 69

た
- 大輪（たいりん）……………………… 19
- 中輪（ちゅうりん）…………………… 19
- 頂芽優勢（ちょうがゆうせい）……… 37
- 追肥（ついひ）………………………… 70
- 接ぎ木部（つぎきぶ）………………… 21
- つる性…………………………………… 38
- トレリス………………………………… 47

な
- 根詰まり（ねづまり）………………… 73
- 根鉢（ねばち）………………………… 29

は
- 培養土（ばいようど）………………… 22
- 波状弁咲き（はじょうべんざき）…… 41
- 鉢替え（はちがえ）…………………… 72
- 鉢苗（はちなえ）……………………… 37
- 鉢増し（はちまし）…………………… 27
- 花がら…………………………………… 56
- 花がら切り……………………………… 56
- 花首（はなくび）……………………… 57
- 花径（はなけい）……………………… 85
- 半つる性………………………………… 38
- 一重咲き（ひとえざき）……………… 41
- 房咲き（スプレー咲き）……………… 39
- ブラインド……………………………… 68
- ブラインド処理………………………… 68
- ベーサルシュート……………………… 58

ま
- マルチング……………………………… 75
- 丸弁咲き（まるべんざき）…………… 41
- 芽かき…………………………………… 65
- モダンローズ…………………………… 84
- 元肥（もとひ）………………………… 70

ら
- ロゼット咲き（ろぜっとざき）……… 40
- ロング苗（ろんぐなえ）……………… 36

わ
- ワイルドローズ………………………… 84

バラとガーデニングの専門店「コマツガーデン」ホームページ
https://www.komatsugarden.co.jp/

オンラインショップでバラ苗や関連アイテムを購入することができます。

 コマツガーデン公式 You Tube チャンネルは
こちらから

【著　　者】後藤みどり
バラとガーデニングの専門店「コマツガーデン」代表　ローズファーマー

山梨の美しい自然の中でこだわりのバラ苗を生産し、バラ苗や関連商品、ガーデニンググッズを販売する有限会社コマツガーデン（ショップ「ロザヴェール」）の代表を務める。
ショップで行われる実践型の栽培教室のほか、全国各地で講演活動を行い、多くの人々にわかりやすいバラの育て方や管理方法を伝えている。
NHK「趣味の園芸」講師や雑誌への寄稿、フラワーデザインを学んだ感性をいかした美しい景観づくりのアドバイスなどを行い、その活動には多くのバラ愛好家から支持されている。
【著書・監修書籍】
『はじめてのバラづくり12か月』『美しいバラの庭づくり』（ともに家の光協会）、『大地に薫るバラ』『オールドローズギャラリー』『バラ大図鑑2000』（ともに草土出版）、『小さい家で楽しむ　わたしのバラ庭づくり』（農山漁村文化協会）、『オールドローズ＆イングリッシュローズ』『つるバラ＆半つるバラ』（ともに誠文堂新光社）他

【協　　力】有限会社コマツガーデン
1968年に総合園芸専門店として創業し、1989年よりバラを専門に自社生産及び販売を山梨県北杜市白州町ではじめる。多種多様な気候を持つ日本での栽培に適合する品種を自社農場で選抜し、彩りある風景のためのバラを育種、生産し、2014年12月には山梨県中巨摩郡昭和町にショップ"ロザヴェール"をオープン。各種バラ苗をはじめ、観葉植物や多肉植物、ガーデニンググッズを取り揃え、バラとグリーンのある豊かな生活"グリーンスタイル"をテーマに掲げている。

株式会社タクト
ソフトシリカ株式会社

スタッフ
カ メ ラ　今井秀治
執　　筆　今井由美子
デザイン　さいとうなほみ
編　　集　株式会社ギグ

はじめての鉢バラ　育て方の基本がわかる本
鉢でバラを美しく咲かせるポイント

2022年5月30日　第1版・第1刷発行

著　者　後藤みどり（ごとうみどり）
発行者　株式会社メイツユニバーサルコンテンツ
　　　　代表者 三渡　治
　　　　〒102-0093 東京都千代田区平河町一丁目1-8
印　刷　三松堂株式会社

◎「メイツ出版」は当社の商標です。

●本書の一部、あるいは全部を無断でコピーすることは、法律で認められた場合を除き、著作権の侵害となりますので禁止します。
●定価はカバーに表示してあります。
© 後藤みどり,ギグ,2016,2022. ISBN978-4-7804-2575-8 C2077 Printed in Japan.

ご意見・ご感想はホームページから承っております。
ウェブサイト　https://www.mates-publishing.co.jp/

編集長：折居かおる　企画担当：大羽孝志／折居かおる

※本書は2016年発行の『美しく咲かせる鉢バラ育て方のポイント』を元に、内容を確認し加筆修正・再編集を行い、書名・装丁を変更して発行しています。